VIVIMUS
EX UNO

D0808397

Manfred Hausmann

Kleine Begegnungen mit großen Leuten

Ein Dank

Neukirchener Verlag

© 1973 – 4. Auflage 1974 – 26.–35. Tsd.
Neukirchener Verlag des Erziehungsvereins GmbH
Neukirchen-Vluyn
Alle Rechte, auch die des auszugsweisen Nachdrucks,
der fotografischen und akustomechanischen Wiedergabe
und der Übersetzung, vorbehalten
Umschlaggestaltung: Kurt Wolff, Düsseldorf
Gesamtherstellung: Breklumer Druckerei Manfred Siegel
Printed in Germany – ISBN 3-7887-0393-8

Ruth und Gerhard Goecke,
den Anregern,
in Dankbarkeit zugeeignet

Inhalt

Begegnung

Die vielen und vielartigen Gegebenheiten, die in der Schöpfung ihr Wesen haben, treiben weder in einem chaotischen Wirrwarr dahin noch verharren sie in einem ungegliederten Einerlei, sondern sie stehen in mannigfachen Beziehungen zueinander. Das hängt damit zusammen, daß die Welt einen Ursprung und ein Ziel hat.
Wenn sich zwei verschiedenartige Gegebenheiten derart aufeinander beziehen, daß sie gleichsam zwei durch ein Spannungsfeld miteinander verbundene Pole bilden, so daß jede erst durch diese Beziehung ihren Sinn und ihre Bestimmung erhält, dann spricht man von einer Polarität.
Ein Zusammentreffen zweier Menschen, das im Zeichen einer Polarität geschieht, wird dadurch zu einer Begegnung. In dem Wort »Begegnung« ist sowohl die Gegensätzlichkeit der sich Begegnenden, eben das »gegen«, als auch das Miteinanderverbundensein enthalten. Nur Menschen, die verschieden geartet sind und aus verschiedenen Bereichen kommen, und nur Menschen, die sich trotz dieser Verschiedenheit oder gerade wegen dieser Verschiedenheit voneinander angezogen fühlen, können sich begegnen.
Zu einer Begegnung, sofern man das Wort in seiner strengen Bedeutung begreift, gehört einmal die Verschiedenheit und zum andern eine bewußte oder unbewußte, eine geheime oder offen-

bare Sympathie. Das griechische Verbum »pathein« heißt »leiden«, und die Vorsilbe »sym« heißt »miteinander«. »Sympathein« heißt also »miteinander leiden«. Erst wenn die beiden Begegnenden in gleicher oder ähnlicher Weise am Leid der Welt teilhaben, wenn der eine wie der andere an der Gebrochenheit und Unversöhnbarkeit, am Riß des Lebens, nicht nur seines eigenen, sondern des Lebens überhaupt, leidet, erst in dieser Sympathie, die aber die Gegensätzlichkeit nicht aufhebt, ziehen sie einander an, so daß sie sich begegnen oder begegnen können.

Es ist einer jeden Begegnung eigentümlich, daß in ihr beide Teile über sich hinauswachsen. Aber nun nicht so, daß keimhaft vorhandene Anlagen zur Blüte getrieben oder verschüttete Fähigkeiten ans Licht gehoben werden, daß also der Satz des griechischen Philosophen »Werde, der du bist!« seine Verwirklichung erfährt, sondern so, daß es zu einer durch kein Innewohnendes zu erklärenden Persönlichkeitsüberhöhung kommt. In der Begegnung, durch die Begegnung erleben beide, daß ihnen etwas geschenkt, daß ihrem Wesen etwas hinzugefügt wird, daß sie mit etwas begnadet werden.

Der überzeugendste Fall einer Begegnung ist die Ehe. Mann und Frau, Frau und Mann, polare Möglichkeiten des Menschseins – wer hier von

Gleichheit spricht, weiß nicht, wovon die Rede ist –, eins bis zur Gegensätzlichkeit vom andern verschieden, jedes auf seine Weise leidend an der Unerlöstheit der Kreatur, aber beide in ihrer Gegensätzlichkeit zueinanderhin erschaffen, das jeweilige Ich leidend und liebend hin zum jeweiligen Du. Das Ich, das ein Ich bleibt, wird in der Begegnung mit dem Du, das ein Du bleibt, zu etwas Neuem, das es ohne die Begegnung mit diesem Du nie hätte werden können. Das ist ja das Seltsame und Rätselhafte an der Ehe, daß ein Ehemann mehr ist als ein Mann, und eine Ehefrau mehr als eine Frau. Wo es sich nicht so verhält, da ist eine Ehe nicht in Ordnung. Überflüssig zu bemerken, daß eine Verbindung zweier Menschen nicht durch das Machtwort eines Standesbeamten, auch nicht durch einen kirchlichen Segensspruch zu einer Ehe wird.

In der Regel erstreckt sich eine Begegnung über einen längeren Zeitraum. Dann erst vermag sie ihre ganze Wunderbarkeit darzutun, wie etwa in einer Ehe oder einer Liebe oder einer Freundschaft. Es gibt aber auch Begegnungen, die nur von kurzer Dauer sind und sich womöglich in einer einzigen Stunde, einer Sternstunde intensivst erfüllen. Oder Begegnungen, die wie ein Hauch geschehen, wie ein leises Sichberühren, wie eine bebende Atemlosigkeit, mehr nicht, die

aber untergründig fortwirken, unter Umständen ein ganzes Leben lang.
Auch Völker, Weltreiche, Kulturen und Religionen können sich begegnen. Die Weltgeschichte kennt viele Beispiele dafür. Wer nicht nur die an der Oberfläche sich vollziehenden Ereignisse, sondern auch die Kräfte betrachtet, die in der Tiefe am Werke sind, die eigentlichen Beweger, der mag sogar zu der Überzeugung kommen, die Weltgeschichte bestehe aus einem erregenden Gewoge von Begegnungen.
Am 17. April des Jahres 1823 schrieb der fast fünfundsiebzigjährige Goethe an seine »im Herzen wohlgekannte, mit Augen nie gesehene Jugendfreundin, die Gräfin Auguste Luise Bernstorff, geborene Gräfin zu Stolberg-Stolberg, einen der schönsten und gelassensten Briefe deutscher Sprache. Darin finden sich folgende Sätze: »Lange leben heißt gar vieles überleben: geliebte, gehaßte, gleichgültige Menschen, Königreiche, Hauptstädte, ja Wälder und Bäume, die wir jugendlich gesäet und gepflanzt. Wir überleben uns selbst und erkennen durchaus noch dankbar, wenn uns auch nur einige Gaben Leibes und des Geistes übrig bleiben. Alles dies Vorübergehende lassen wir uns gefallen. Bleibt uns nur das Ewige jeden Augenblick gegenwärtig, so leiden wir nicht an der vergänglichen Zeit.«

Niemand, der ähnlichen Alters ist, wird sich der überlegenen Weisheit entziehen können, die aus diesen Worten spricht. Auch ich kann es nicht. Ich kann es um so weniger, als ich einer Generation angehöre, die infolge der Hektik des Zeitalters das Vorübergehen und Sichselbstüberleben in einer noch nie dagewesenen Weise hat erfahren müssen. Und so ist es verständlich, daß ich, um das »Leiden an der vergänglichen Zeit« zu mindern, »die Gaben des Leibes und Geistes«, die mir noch geblieben sind, dazu verwenden möchte, mir einige Begegnungen in die Erinnerung zurückzurufen, denen durch besondere Umstände ein Hauch des Ewigen, wie Goethe es nennt, innewohnt. Daß es sich dabei um Begegnungen mit geliebten und verehrten und nicht etwa mit gleichgültigen oder gehaßten Menschen handelt, versteht sich von selbst. Denn man erkennt eine Begegnung ja daran, daß sie Frucht bringt. Wo aber Gleichgültigkeit oder Haß im Spiel ist, kann nichts Fruchtbares gedeihen.

Wenn ich von »kleinen Begegnungen« spreche, dann deshalb, weil die meisten nicht zu einer längeren Verbundenheit geführt haben. Das schließt freilich nicht aus, daß sie, wenigstens für mich, hochbedeutsame, ja entscheidende Begegnungen waren. »Kleine« Begegnungen aber auch deshalb, weil dadurch das jeweilige Verhält-

nis zwischen Subjekt und Objekt ins rechte Licht gerückt wird. Das Wort »Begegnung« könnte sonst so mißverstanden werden, als unterstelle es eine Gleichrangigkeit der sich Begegnenden. Keine der Begegnungen hat zwischen Gleich und Gleich stattgefunden. Jedesmal war vielmehr der eine und immer derselbe der Kleine und der andere, immer wechselnde der Große.
Ich berichte aus der Erinnerung ohne die Unterstützung durch irgendwelche Aufzeichnungen. Und das besagt, daß ich mich wohl für die Richtigkeit des Wesentlichen, nicht aber für jede Einzelheit verbürgen kann. Denn ich weiß nur allzu gut und allzu schmerzlich, was für ein wunderliches Ding das menschliche Unterbewußtsein ist, weiß, was für unerwartete und unaufhellbare Einfälle es hat, wenn es, ohne daß der Betreffende es merkt, an seinen Erinnerungen herumfingert und herumbosselt, oder wenn es gar das eine Ereignis ins Dunkel sinken und erlöschen und das andere aus der Vergessenheit ans Licht emporsteigen und leuchten läßt. Allerdings glaube ich auch zu wissen, daß es mit all dem Wirrwarr, den es am Rande anrichtet, nicht imstande ist, die Hauptzüge eines Ereignisses zu entstellen. Ich wage es also, mich an die eine und andere kleine Begegnung mit großen Leuten zu erinnern.

Karl Barth

An einem Sonntag des Jahres 1921 besuchte ich, ein zweiundzwanzigjähriger Student, mit meinen Eltern den Gottesdienst in der kleinen Kirche der evangelisch-reformierten Gemeinde zu Göttingen. Es geschah durchaus meinen Eltern zuliebe und nicht etwa meiner religiösen Erbauung wegen. Mein Sinnen und Trachten war auf etwas ganz anderes gerichtet. Ich kam aus München, wo ich germanistischen, kunstgeschichtlichen und philosophischen Studien oblag oder obliegen sollte, in Wirklichkeit aber einer mehr oder weniger fragwürdigen politischen Tätigkeit nachging. Als ich zwei Jahre vorher mit durchschossenem Fuß, den ich einem französischen Granatsplitter verdankte, in München eingetroffen war, hatte ich nach ein paar Tagen meinen Ausweisungsbefehl in Händen. Ausländische Studenten – und ich als Preuße war natürlich Ausländer – durften in München nicht studieren. Nur wer einen anderweitigen Arbeits- oder Anstellungsvertrag vorzeigen konnte, bekam die Zuzugsgenehmigung. Nach einem weiteren Tag war ich Büroangestellter bei einem Rechtsanwalt Kauffmann, der außerdem in der Leitung der Münchner Kammerspiele saß. Er hatte gerade die Verteidigung des Dichters Ernst Toller übernommen. Toller war, zusammen mit dem Dichter Gustav Landauer, dem Anarchisten Erich Mühsam und dem Träumer Silvio Gsell Minister in der Räterepublik Bayern gewesen und wartete nach deren Sturz durch das Freikorps Epp im Stadelheimer Gefängnis auf seinen Prozeß. Es ging um nicht weniger als um sein Leben. Der Ministerpräsident der Räteregierung, Eugen Levinée, der einzige unter diesen Intellektuellen, der etwas von praktischer Politik verstand, war bereits zum Tode verurteilt und sofort erschossen worden. Mir fiel die Aufgabe zu, alle möglichen Unterlagen und Fakten aufzuspüren und herbeizuschaffen, die Toller entlasten und den Ankläger in Verlegenheit bringen sollten. Weil an sie nur auf ungesetzlichem Wege heranzukommen war, konnte der Anwalt sie nicht selbst an sich ziehen. Mit dem Eifer und der Unbedenklichkeit eines angehenden Menschheitsbeglückers machte ich mich ans Werk. Dabei mußte ich Toller zu wiederholten Malen in seiner Zelle aufsuchen, um gewisse Auskünfte und Hinweise von ihm zu erhalten. Zu meiner Verblüffung und wachsenden Ernüchterung behandelte er meine Fragen mit einer Sorglosigkeit, die wenig angebracht war, und verlangte vielmehr, ich solle ihm ein Mittel besorgen, durch das er seinen auf der Flucht rot gefärbten Haaren ihre ursprüngliche Farbe zurückgeben könne. Offensichtlich war ihm daran gelegen, vor Gericht als ansehnlicher Mann aufzutreten. Und selbst

als ich ihn anfuhr, er möge statt an sein Haar lieber an seinen Kopf denken, blieb er bei seinem unsinnigen Verlangen. Und er kam auch bis zuletzt nicht davon los, zumal das Präparat, das ich ihm schließlich beschaffte, aus dem Rot eine Art von Grün machte. An dem Angeklagten lag es jedenfalls zum geringsten Teil, daß seine Sache so glimpflich ablief. Das Urteil lautete auf sechs Jahre Festungshaft und kam einem Freispruch gleich. Durch die Festungsstrafe bescheinigte es ihm außerdem die Ehrenhaftigkeit seines Handelns. Der Anwalt hatte sich selbst übertroffen. Aber für mich war ein Idol von seinem Sockel gefallen. So ungerecht kann die Jugend sein.
Das hinderte mich natürlich nicht, auch weiterhin das Studium nur beiläufig und mein wirres, dafür aber um so leidenschaftlicheres politisches Freibeutertum als Hauptfach zu betreiben. Ich marschierte in jedem Demonstrationszug hinter der roten Fahne her, sang aus hingabevollem Herzen das »Brüder, zur Sonne, zur Freiheit, Brüder, zum Lichte empor« mit, wetzte, wenn Schüsse fielen, hinter die nächste Ecke, schrie und trampelte in Versammlungen und diskutierte in Schwabinger Ateliers mit Gläubigen und Ungläubigen bis zum Morgengrauen über die paradiesische Zukunft und über den Weg dorthin. Kaum einer von uns hatte »Das Kapital« gelesen.

Und wer sich daran gemacht hatte, war nicht damit fertig geworden. Ich auch nicht.
Aus dieser gärenden und widerspruchsvollen Welt kam ich also, und an diese Welt dachte ich, als ich an jenem Sonntag die Kirche betrat. Ich ahnte nicht im geringsten, was mich erwartete. Statt des mir vertrauten Gemeindepfarrers hielt ein anderer den Gottesdienst, ein Fremder mit einer kehligen und leicht angerauhten Aussprache, der den Predigttext auf eine so ungewohnte Weise anging, daß ich sofort, ob ich wollte oder nicht, gepackt war. Das Gepacktsein steigerte sich im Verlauf des Gottesdienstes zu einem Aufgewühltsein, zu einem Umundumgekehrtsein, zu einer Erschütterung, die bis in die letzten Tiefen meines Wesens drang. So etwas hatte ich bei einer Predigt noch nicht erlebt. Ich verließ die Kirche als einer, der nicht mehr wußte, wo er bleiben sollte. Der Blitz war nicht neben mir niedergefahren, sondern mitten in mich hinein. Ich taumelte nur so. Hier war die Revolution, von der ich die ganze Zeit über etwas geahnt hatte, dunkel nur und unklar, aber doch unabweisbar, die Revolution, die nicht die Dinge, sondern erst einmal den Menschen veränderte, und zwar mit einer Radikalität, von deren Gewalt und Unheimlichkeit die Leute in München und anderswo sich nichts träumen ließen. Denn hier war vermittels

dieses merkwürdigen Pfarrers einer am Werke, von dem ich mir bislang eine grundfalsche Vorstellung gemacht, dessen Existenz ich bezweifelt, mit dem ich mich weiter nicht eingelassen hatte. Aber jetzt hatte er sich mit mir eingelassen und wie er sich mit mir eingelassen hatte! Jetzt wurde alles anders.

Von meinem Vater, der dem Gottesdienst weit gelassener gefolgt war als ich, erfuhr ich, daß der Fremde Karl Barth hieß, aus Basel stammte, Professor der Theologie war und hin und wieder in unserer Kirche predigte. Ein Kommentar von ihm über den Römerbrief scheine die Theologen und nicht nur die Theologen ziemlich durcheinander gebracht zu haben. Ich konnte mir's gut vorstellen.

Die Begegnung mit Karl Barth in Göttingen war der Anfang einer über Jahre und Jahrzehnte sich hinziehenden Revolutionierung meines Gewissens, durch die meine Haltung in der Welt von Grund auf verändert wurde: Die Haltung verwandelte sich in ihr Gegenteil, in ein Gehaltenwerden. Aus dem Vertrauen auf die Macht des menschlichen Geistes wurde die Einsicht in die Gebrechlichkeit und Hilflosigkeit ebendieses Geistes. Aus der versteckten Anbetung der Selbstherrlichkeit die offene Anbetung der Gottesherrlichkeit.

Durch Karl Barth kam ich zu Kierkegaard, zu Dostojewski, zur Bibel und noch einmal und immer wieder zur Bibel. Sie hat nicht ihresgleichen auf Erden, weder als Dichtung – dem größten Teil der Menschheit wird diese atemraubende Dichtung freilich vorenthalten – weder als Dichtung noch als Kunde vom Wesen des Menschen, noch als Offenbarmachung des dreieinigen Gottes. Und dabei bin ich geblieben, denn hier ist gut sein. Aber nicht im Sinne eines Gefeit- und Abgesichertseins gegen die Mächte des Abgrunds, sondern in immer neuer, verzweiflungsvoller Angefochtenheit und in immer neuer Geborgenheit.
Als ich Karl Barth einige Jahre nach dem Zweiten Weltkrieg in Basel besuchte, wo er nach seinem Weggang von Bonn lebte und lehrte, tobte in der Schweiz gerade ein innenpolitischer Kampf von ungewöhnlicher Verbissenheit. Durch eine Volksabstimmung sollte entschieden werden, ob sich die Schweiz durch ein Gesetz ein für allemal verpflichten wollte, auf den Besitz von Atomwaffen zu verzichten, oder ob ein solches Gesetz untunlich sei. Auch die Gegner des Gesetzes wollten keine Atomwaffen haben, sie meinten aber, es sei unklug, sich so grundsätzlich festzulegen. Niemand wisse, ob nicht einmal eine Lage eintreten könne, in der es geboten sei, von eigenen oder geliehenen Atomwaffen Gebrauch zu machen.

Wie fast jeder Schweizer so beteiligte sich auch Karl Barth mit Leidenschaft an der Auseinandersetzung. Natürlich war er für den vollständigen und endgültigen Verzicht.

Mein Besuch verlief sehr anders, als ich gedacht hatte. Ich brachte einen ganzen Sack voll theologischer Fragen mit, deren Beantwortung ich erhoffte. Zum Beispiel die Frage nach der Seligwerdung aller Menschen, nach der Prädestination, nach der Erwachsenentaufe, nach den entsetzlichen Stellen im Alten Testament, die schildern, wie auf Anweisung Gottes ganze Völker mit dem Bann geschlagen, und das heißt, mit Männern, Frauen, Kindern und Vieh ausgerottet wurden. Aber Karl Barth hatte kein Ohr dafür. Er saß da mit seiner Pfeife, stieß zornige Rauchwolken aus, zerwühlte sein Haar und war nichts anderes als ein Schweizer Bürger, der für seine Sache stritt. »Das Stehlen von silbernen Löffeln ist unter allen Umständen etwas Schlechtes«, rief er drohend aus. Auf meinen Einwand, ich könne mir allerdings eine Lage denken, in der sogar das Stehlen von silbernen Löffeln gerechtfertigt sei, entgegnete er kurz und bündig: »Ich nicht.« Damit mußte die Sache ihr Bewenden haben. Er war auch nur ein Mensch. Das Gesetz wurde übrigens mit starker Mehrheit abgelehnt. Nach anderthalb Stunden brach ich unverrichteter Sache auf. Ich konnte nur hoffen, ihm nächstes Mal unter freundlicheren Umständen gegenüberzusitzen. Die Hoffnung hat sich nicht erfüllt. Ich habe ihn vor seinem Tode nicht wiedergesehen.

Otto Hahn

Die Atombombe hat viele Väter. Einer von ihnen war der Chemiker und Nobelpreisträger Otto Hahn. Es fällt schwer, den zurückhaltenden, gütigen und stillen Mann in einem Atem mit dem Massenvernichtungsmittel zu nennen. Er hat denn auch, mit andern, die ganze Tragik des freien Forschers an sich erfahren. Mit dem Begriff der Forschung ist der Begriff der Freiheit untrennbar verbunden. Eine unfreie Forschung, das heißt eine Forschung, die sich nicht nach allen Richtungen hin unbehindert entfalten kann, wäre keine Forschung mehr. Wer aber, wie der Atomchemiker, als Ergebnis seines Forschens der Menschheit ungeheure Kräfte zur Verfügung stellt, Kräfte kosmischen Ausmaßes, der muß sich darüber klar sein, daß sie mißbraucht werden können und auch mißbraucht werden. Er kann seine Hände nicht in Unschuld waschen, indem er sagt: »Ich bin Wissenschaftler, ich forsche nur um des Forschens willen. Was andere mit den Ergebnissen anstellen, ist nicht meine Sache.« Er muß wissen, daß die Forschung zugleich fruchtbar und furchtbar ist. So hat es eine tief sinnbildhafte Bedeutung, daß man im Deutschen die Wörter »fruchtbar« und »furchtbar« leicht verwechselt, wenn man nicht genau hinsieht oder hinhört. Der Atomchemiker, aber nicht nur er, ist unschuldig-schuldig, er ist eine tragische Gestalt.

Es wird erzählt, ein anderer der großen deutschen Physiker, den diese Tragik quälte, sei einmal Karl Barth um Hilfe angegangen. Und Karl Barth habe gesagt: »Als Christ müssen Sie sich fragen, von wem Sie letztlich den Auftrag zu Ihrer Forschungsarbeit herleiten und ob Sie glauben, mit ihr am Tag der Tage vor dem Weltenrichter bestehen zu können, vor dem Sie, wie wir alle, über jede Handlung Ihres Lebens Rechenschaft abzulegen haben. Wenn Ihre Antwort so ausfällt, daß sie Ihnen erlaubt, auch fernerhin zu Ihrer Arbeit zu stehen, dann, aber nur dann, dürfen Sie auf dem eingeschlagenen Wege weitergehen.« Ich weiß nicht, ob jener Physiker sich mit der Antwort zufriedengegeben hat. Ich hätte es nicht getan. Ich weiß auch nicht, ob Otto Hahn sich eine ähnliche Frage vorgelegt und wie er sie gegebenenfalls beantwortet hat. Wir sind uns des öfteren begegnet, er und ich, zu einem Gespräch über diesen Punkt ist es jedoch nie gekommen. Einige Male war ich versucht, davon anzufangen, weil die Gelegenheit günstig zu sein schien, hielt mich dann aber doch zurück, denn ich dachte, es sei an ihm, sich dem heiklen Thema zuzuwenden. Und wenn er es nicht tue, werde er wohl seine Gründe dafür haben.

Unsere Bekanntschaft begann unter einem heiteren Vorzeichen. Auf einem dieser offiziellen

Empfänge, denen er ebenso wenig abgewinnen konnte wie ich, zog er mich mit folgenden Worten ins Gespräch: »Ich muß Ihnen doch einmal versichern, lieber Herr Kästner, was für eine Freude ich während meiner letzten Überfahrt nach New York an Ihrem Buch ›Kleine Liebe zu Amerika‹ gehabt habe.« – »Wenn dem so ist«, gab ich zurück, »dann spielt es weiter keine Rolle, ob Erich Kästner das Buch geschrieben hat oder ich. Ich bin nämlich Manfred Hausmann.« – »Aber natürlich, aber lieber Herr Hausmann, ich habe eben Sie beide so sehr in mein Herz geschlossen, daß ich Sie dauernd verwechsle.« Kurzum, er brachte die Sache auf das liebenswürdigste wieder in Ordnung. Das hinderte ihn jedoch nicht, mich auch bei sonstigen Gelegenheiten als »Herr Kästner« zu begrüßen und sogar andern Leuten vorzustellen, die es aber meist besser wußten als er. Ich gab es schließlich auf, ihn zu berichtigen. Großen Leuten muß man nicht mit Kleinigkeiten kommen. Aber dann konnte er mitten in einem Gespräch innehalten, mich mit seinen guten Augen scharf ansehen und sagen: »Jetzt weiß ich es wieder, Sie sind ja überhaupt Herr Hausmann.« – »Ich werde mich hüten, Ihnen zu widersprechen«, sagte ich. Und dann lachten wir beide.

Aber einmal war alles anders. Nach einer Sitzung der Mainzer Akademie der Wissenschaften und der Literatur nahm er mich beiseite, diesmal von Anfang an als Manfred Hausmann, und sprach mit mir über die moderne Chemie. Nicht über Einzelheiten, bei denen ich ihm doch nicht hätte folgen können, sondern über etwas Grundlegendes. Er hatte am Morgen den Vortrag eines jüngeren Kollegen gehört und war noch immer verwirrt, weil er den Auslassungen keinen Sinn abzugewinnen vermocht hatte. »Können Sie sich vorstellen, was das für mich bedeutet? Es ist mein Fach, es sind die mir vertrauten Vokabeln, Zeichen, Formeln, Chiffren, und ich kann nichts mehr damit anfangen.« Da stand er vor mir, einer der Größten im Bereich seiner Wissenschaft, weltweit bekannt, weltweit geehrt. Aber diese seine Wissenschaft war über ihn hinweggeschritten, war ihm fremd, war ihm unheimlich geworden. Er begriff nicht mehr, wovon der junge Kollege eigentlich redete. Ein bestürzendes Erlebnis. Ich gab ihm zu verstehen, daß er damit zu einem Symbol geworden sei. Vielfach könnten ja nur noch die Spezialisten der Stunde einander verstehen, nein, nicht einmal mehr die Spezialisten, sondern nur noch die spezialisierten Spezialisten. Wie auf diesem Gebiet so auf vielen andern auch. Die babylonische Sprachverwirrung sei abermals ausgebrochen. Da und dort und überall redeten Menschen wegen ihrer Vereinzelung aneinander vorbei. Man verstehe ja nicht einmal mehr dasselbe Wort auf dieselbe Weise. Die Welt werde von Jahr zu Jahr rätselhafter und fragwürdiger. Daraus ergäbe sich eine wachsende Unsicherheit und aus der Unsicherheit eine immer tiefere Angst und aus der Angst eine mehr und mehr um sich greifende Verzweiflung und aus der Verzweiflung all das Erschreckende, das unsere Zeit kennzeichne.

Wir haben uns an diesem Abend nicht verhehlt, daß wir mit Grauen den Gang der Dinge beobachteten, den wir nicht ändern noch aufhalten konnten. Rührte denn aber das Grauen nicht auch daher, daß wir dazugehörten, daß auch wir, der eine so, der andere so, Schuld auf uns geladen hatten, daß eine allgemeine Verstrickung vorwaltete? Unsere Gedanken kreisten schließlich um das Wort Dostojewskis, der so tief wie kein anderer in die Nacht des Menschenherzens zu blicken gewagt hat, um das niederdrückende, ja hoffnungslose, aus menschlicher Sicht hoffnungslose Wort: »Alle sind an allem schuld.« So mündete das Gespräch, was unausbleiblich war, ins Theologische.

Otto Hahn ist bald darauf gestorben. Ich habe nicht erfahren, ob ihm diese Begegnung ebenso nachgegangen ist wie mir. Wenn ich aber an die Augen denke, die während der Unterredung immer wieder die meinen suchten und fanden, dann möchte ich annehmen, daß er an diesem Abend nicht so gegangen ist, wie er gekommen war. Mit mir jedenfalls verhielt es sich so.

Ludwig Roselius

Wenn man auf sein Leben zurückblickt, glaubt man manchmal zu erkennen, daß dies und das gar nicht anders habe kommen können, als es eben gekommen ist. Dem Blick nach vorn bleibt freilich alles verhüllt. War es wirklich ein, wie man so sagt, Zufall, daß wir uns im Getümmel der Welt begegnet sind, der Komponist Ludwig Roselius und ich? Es spricht vieles dagegen. Beide sind wir in Kassel geboren, er im Jahre 1902, ich vier Jahre eher. Beide haben wir zu einer Zeit, als wir noch nichts voneinander wußten, Bremen zu unserer Wahlheimat erkoren. Und beide haben wir diese Wahl nicht bereut. Beide fühlen wir uns, unbeschadet unserer Liebe zu der wechselreichen oberhessischen Landschaft, unwiderstehlich angezogen von der schweigenden Unendlichkeit der norddeutschen Ebene. Beide sind wir der See verfallen, Ludwig Roselius mehr meditativ, ich mehr aktiv. Aber ob am Strand von Spiekeroog und Sylt, wohin es ihn immer wieder zieht, oder im Eis des Nordatlantik, dem meine Sehnsucht gilt, die Verzauberung durch das gewaltige Element ist beide Male die gleiche. Beide haben wir uns mit Leib und Seele der Kunst verschrieben, dazu noch mit einer sich überkreuzenden Entsprechung: Ludwig Roselius ist Musiker, hat aber eine betonte Bindung an das Wort. Seine ersten größeren Werke waren Opern, deren Text-

bücher er selbst verfaßt hat. Und später vertonte er mit besonderer Einfühlsamkeit lyrische und balladeske Gedichte. Es folgten die musikalischen Ergänzungen zu Bühnenwerken und Hörspielen, in denen der Wille zu einer Partnerschaft mit dem Wort deutlich spürbar ist.
Ich bin Schriftsteller, aber meine Werke sind durchflutet von Musik, von den Möglichkeiten der Wort- und Sprachmusik bis hin zu den Versuchen, musikalische Darbietungen durch das Medium der Sprache wiederzugeben. Überall regt sich die heimliche Liebe zur Musik.
So ist auch unsere Begegnung in der magischen Welt der Kunst nur folgerichtig. Es gibt zu viel Gemeinsames, als daß wir hätten aneinander vorbeigehen können.
Ihre Krönung hat unsere Zweieinigkeit in dem Bühnenwerk »Lilofee« gefunden. Da ist alles, was Ludwig Roselius und mich verbindet, aufs schönste vereinigt: Bremen, die Unterweser, Brake, das Watt, die Schiffe, die Weite der See, die Lockung der Fremde, die Menschen, die in dieser Welt ihr Wesen haben, und die elementarischen Mächte in ihnen und hinter ihnen. Da sind Wort und Melos so ineinander verwoben, daß sie nicht mehr getrennt werden können. Die Musik bringt gleichsam das Wort hervor, und das Wort beschwört den Zauberklang der Musik. Kein Wun-

der, daß wir beide an diesem aus unserer Begegnung und Gemeinschaft entstandenen Werk mit nicht nachlassender Liebe hängen.
Was ist es eigentlich um eine Begegnung, die zu einer produktiven Gemeinschaft wird? Wie geht es zu, ja wie ist es überhaupt möglich, daß sich zwei Menschen zu einer so schwierigen, so undurchschaubaren und so verletzlichen Arbeit zusammentun, wie es die Hervorbringung eines Kunstwerks doch ist? Wie können die verschiedenen, zeitlich und inhaltlich verschiedenen Hochstimmungen, Einfallsaugenblicke, wie aber auch die Dumpfheiten, Ausweglosigkeiten und Verzweiflungen sozusagen synchronisiert und einander angeglichen werden? Zu verstehen ist das nicht. Und doch geschieht es. Bei Ludwig Roselius und mir verhält es sich so, daß erst der eine seine Arbeit tut und dann der andere. Wir gehen nicht gleichzeitig zu Werke. In der Regel entsteht das Wortgebild zuerst. Es kommt aber auch vor, daß die Melodie den Anfang macht und das dazugehörende Wort herbeiruft. Nicht die Gleichzeitigkeit ist das Gemeinsame, sondern der Ursprung, das gleiche Erlebnis. Die Rätselhaftigkeit des Vorgangs wird dadurch nicht geringer, sie vertieft sich eher. Denn zwischen dem Urerlebnis des Dichters und dem des Komponisten kann unter Umständen eine Zeitspanne von mehreren Jah-

ren, ja von Jahrzehnten liegen. Dennoch kommt ein einheitliches Werk zustande. Entscheidend ist die Tatsache, daß im Leben zweier Menschen aus der schöpfungsträchtigen, gesegneten Dunkelheit des Unbewußten gleichartige Impulse aufsteigen, die sich über Stunden und Jahre hinweg suchen und, obwohl die Medien, in denen sie Gestalt annehmen, andersartig sind, sich finden und zu einer neuen, höheren Einheit zusammenklingen. Wenn man sich vor Augen hält, daß in jedem Menschen unzählbare Erlebnismöglichkeiten vorhanden sind, dann will einem das Faktum, daß in zweien, einem Musiker und einem Dichter, zwei gleichartige und schöpferische Impulse geschehen, die offensichtlich füreinander bestimmt sind, wie ein Wunder vorkommen. Man hat allen Grund, dafür dankbar zu sein. Ich glaube, diese Dankbarkeit gehört auch zu den Gemeinsamkeiten, die Ludwig Roselius und mich verbinden. Vielleicht ist sie sogar die stärkste.

Hanns Lilje und Thomas Stearns Eliot

Nicht lange nach dem Zweiten Weltkrieg lud der Bischof der Hannoverschen Landeskirche Hanns Lilje ein gutes Dutzend Persönlichkeiten des kulturellen Lebens in seine Evangelische Akademie ein, die damals noch in Hermannsburg war. Sie sollten mit Thomas Stearns Eliot, dem 1888 in den Vereinigten Staaten geborenen und 1927 in England naturalisierten Dichter, ein Gespräch über die »Rechristianisierung Europas durch Kunst« – so hatte Eliot das Thema formuliert – führen. Der Name Eliot war um diese Zeit in aller Munde. Sein Drama »Mord im Dom« stand auf dem Spielplan vieler Bühnen, und seine Gedichte wurden in jedem schöngeistigen Kreis analysiert und interpretiert. Ich hätte der Einladung nicht Folge geleistet, wenn es nicht Lilje gewesen wäre, der sie hatte ergehen lassen. Solche Gespräche, Diskussionen, Symposien haben nur dann einen Sinn, wenn die Leitung in der Hand eines klugen und entschlossenen Mannes liegt, der über der Sache steht und weiß, was er will. Sonst läuft das Gespräch Gefahr, sich, wie üblich, im Unabsehbaren zu verlieren oder in hundert Einzelprobleme zu zerfallen. Und Lilje ist ein solcher Mann. Eine Diskussion, die er leitet, ist schon deshalb, mögen die Beiträge der Teilnehmer lauten, wie sie wollen, ein hoher Genuß. Seine Fähigkeit, eine große Linie in das Gespräch zu bringen, hat etwas Imponierendes. Er gibt von Anfang an zu verstehen, daß er gesonnen ist, der Sache, um die es geht, zu ihrem Recht zu verhelfen. Um das zu erreichen, steuert er zum gegebenen Zeitpunkt einen richtungweisenden Satz bei oder auch nur eine kurze Wendung, die es aber in sich hat. Oder er führt einen Diskutanten, der beginnt, sein Steckenpferdchen vorzureiten, mit behutsamer Entschiedenheit auf den rechten Weg zurück, ohne daß der Betreffende sich gemaßregelt oder gar vergewaltigt fühlt. Oder er verschafft einem zaghaften Sprecher, von dem er aber ein belangvolles Votum erwartet, Raum und Beachtung. Oder er löst eine aufkommende Spannung, ehe sie Unheil anrichten kann, durch ein federleichtes Scherzwort. Oder er beschleunigt, um eine Klippe zu überwinden, das Tempo des Gesprächs. Oder er hält ein beiläufig hingeworfenes Wort fest und spielt es, wenn er spürt, daß ungeahnte Möglichkeiten in ihm stecken, in den Vordergrund. Oder er dämpft den Eifer eines Bramabasierenden mit einer eleganten Bewegung seines kleinen Fingers. Kurzum, er ist, weil er alles bislang Vorgebrachte gegenwärtig hat und das Kommende vorauswittert, in jedem Augenblick Herr der Lage. Das vermag nur ein Geist von äußerster Wachheit und Schnelligkeit.

Ich habe zu wiederholten Malen Gelegenheit ge-

habt, Liljes schnellen und wachen Geist zu bewundern, ihn um so mehr zu bewundern, als mir selbst dergleichen völlig abgeht. In mir leuchtet der Geistesblitz, mit dem ich hätte glänzen sollen, immer erst auf, wenn der Augenblick längst dahin ist. Aber bei Lilje blitzt es nach Belieben. Auch bei den unerwartetsten Zufällen. Als er einmal ein Rednerpult vorfand, das für seine gedrungene Gestalt zu hoch war, so daß sein blanker Rundschädel nur bis zur Mitte darüber hinwegragte, begann er seinen Vortrag mit zwei Zeilen aus dem Abendlied von Matthias Claudius:
»Er ist nur halb zu sehen
und ist doch rund und schön ...«
Ein anderes Mal saßen wir, meine Frau und ich, im Kino der Nordseeinsel Langeoog und warteten auf den Indianer-Western »Im Lande der Comanchen«. So ganz wohl war uns nicht zumute, denn die Bilder im Schaukasten versprachen einen handfesten Schundfilm, und die Jugend, die um uns herum saß, paßte ganz gut dazu. Siehe, da betrat ein zweiter Kurgast unserer Art, begleitet von Frau und Tochter, den Saal und nahm neben uns Platz. »Herr Landesbischof«, sagte ich, »wenn Sie diesen Film mit Ihrer Gegenwart beehren, sind wir gerechtfertigt.« Aber ohne eine Sekunde zu zögern, entgegnete er: »Durch Addition wird die Sünde nicht geringer.«

Unter seiner Führung fand also das Hermannsburger Gespräch statt. Ich beschloß, mich erst einmal still zu verhalten, zumal mich Eliots zart durchgeistigtes Gesicht und sein versponnenes, scheues, fast abweisendes Fürsichsein ergriff. Aber ehe ich mich's versah, wurde ich in die Diskussion hineingezogen, denn sie kreiste alsbald um die Frage, ob man durch Kunst verkündigen könne. Und das war eine Frage, die mich in höchstem Maße anging, es war meine Frage. Jahrelang hatte ich mich mit ihr herumgeschlagen, nicht theoretisch-spekulativ, sondern schaffend und scheiternd, wieder schaffend und wieder scheiternd. Wenn jemand ein Recht hatte, hier mitzureden, dann ich. Und so redete ich mit. Ich sagte etwas, das man mir bis heute noch nicht verziehen hat: »Wenn ich der Teufel wäre, jene unheimliche Macht, die unter allen Umständen verhindern will, daß der Mensch in die gute Ordnung Gottes zurückkehrt, dann würde ich zum Beispiel die Matthäuspassion komponieren.« Eliot wich aus: »Das würden Sie nicht können, denn der Teufel ist nicht imstande, auch nur das kleinste Etwas, geschweige denn ein so herrliches Werk wie die Matthäuspassion zu erschaffen. Er kann nur zunichte machen, er ist ein nichtender Geist.« – »Richtig. Dann würde ich also einen Komponisten dazu verführen, diese Passion zu erschaffen.« – »Und warum?« – »Weil ich dann die Menschen vom Ernst der Passionsgeschichte ablenken und zu einem falschen Verständnis bringen würde.« – »Es gibt aber nicht wenige Menschen, die das Gegenteil behaupten, daß sie nämlich durch die Bach'sche Musik erst zum richtigen Verständnis des Textes angeleitet worden seien.« – »Ein gewisser Schiller hat den Vers geschrieben: ›Ernst ist das Leben, heiter ist die Kunst.‹ Er verstand unter der Heiterkeit, die untrennbar zur Kunst gehört, keine Lustigkeit, natürlich nicht, sondern den ästhetischen Zauber, die Faszination des Kunstwerks, die darauf beruht, daß es für sich existiert, seine eigene Ordnung, seine eigenen Gesetze, sein eigenes Genüge hat, daß es eine in sich geschlossene Überwirklichkeit darstellt. Wo Kunst ist, kann keine Wirklichkeit, kein eigentlicher Ernst des Lebens sein. Und wo die Wirklichkeit, wo der eigentliche Ernst des Lebens ist, kann keine Kunst sein. Sonst wäre Kunst nicht Kunst und Leben nicht Leben. Das eine schließt das andere aus. Wenn das Geschehen der Passion Christi in Musik gesetzt wird, in erhabene, in einzigartige Musik, dann verliert es dadurch seinen tödlichen Ernst. Und je höher der künstlerische Wert der Musik ist, um so größer der Verlust an Ernst.« – Ihm seien aber, sagte Eliot, Kunstwerke musikalischer, bildnerischer und dichterischer Art bekannt, in denen ein ungeheurer Ernst vorwalte. – Ich antwortete, um meine Meinung deutlich zu machen, mit einem Beispiel: »Ein Ihnen sehr teurer Mensch, Ihr Vater, Bruder, Freund, ist in einem Konzentrationslager unter entsetzlichen Umständen ermordet worden. Und nun kommt ein entlassener Mithäftling zu Ihnen, um Ihnen vom Leiden und Sterben des Ihnen so teuren Menschen zu berichten. Er tut das aber nicht mit stockenden Worten und immer wieder überwältigt von der Erinnerung an das Schreckliche, das er hat mitansehen müssen, sondern er setzt sich an Ihren Flügel und gibt Ihnen seinen Bericht in Form einer wundervollen Arie. Das wäre unertragbar. Jemand, der bei der Erstattung eines solchen Berichtes noch an die künstlerischen Gesetze einer Arie denken kann, wird unglaubwürdig, denn er verwandelt durch seine Kunst die grauenvolle Wirklichkeit, von der die Rede ist, in eine ästhetische Überwirklichkeit, er entstellt, verschleiert, pervertiert sie. Das gleiche gilt für die Matthäuspassion. Jesus hat am Kreuz nicht gesungen, er hat keine Gedichte aufgesagt und er hat keinen malerischen Anblick geboten.« – Eliot: »Er hat sehr wohl ein Gedicht aufgesagt, nämlich einen Vers aus dem 22. Psalm. Und Sie werden gewiß nicht bestreiten wollen, daß ein Psalm unter anderem

auch eine Dichtung ist.« – »Ich bestreite erstens, daß im Anfang des 22. Psalms, in dem ›Mein Gott, mein Gott, warum hast du mich verlassen?‹ auch nur die kleinste Spur von Dichtung steckt, und ich bestreite ferner, daß Jesus diese Worte aufgesagt oder auch nur gesagt hat, er hat sie in der Erstickungsqual des Kreuzestodes – ein am Kreuz Hängender erstickte ja langsam – er hat sie mit verdurstender Kehle, mit geschwollener Zunge, mit zerrissenen Lippen geschrien, geächzt, geröchelt. Wenn so etwas mit Musik unterlegt oder wenn in diesem Zusammenhang gar vom ›süßen Kreuz‹ gesungen wird, wie es in der Matthäuspassion geschieht, dann ist das – bitte, sagen Sie selbst, was das dann ist!«
Hier griff Lilje ein. Er schob die Matthäuspassion erst einmal beiseite und fragte mich, ob es in der Bibel, dem Buch der Gottesoffenbarung, nicht Stellen gebe, keine beiläufigen, sondern Hauptstellen, die Dichtung seien, nicht Erdichtungen, sondern in das Zauberreich der Dichtersprache gehobene Verkündigung und ob der Wirklichkeits- und Verkündigungscharakter dieser Stellen dadurch nicht nur nicht gefährdet, sondern im Gegenteil vertieft werde. Er denke an einige Erzählungen des Alten Testaments, etwa an jene von der Opferung Isaaks, an die gewaltigen Visionen der Propheten, an die Psalmen, an das Lied

der Lieder, an das eine und andere Gleichnis Jesu, an das 13. Kapitel des ersten Briefes an die Korinther, in dem der sonst so nüchterne und sachliche Paulus in ergreifenden, hymnischen und jedenfalls durch und durch dichterischen Worten das Geheimnis der Liebe dartue.

Das war die Entgegnung, auf die ich gewartet hatte. Denn jetzt erst begann das Gespräch belangvoll zu werden. Was bislang gegen meine Ansicht eingewandt worden war, hier und anderswo, hatte entweder den Kern der Sache nicht berührt oder war, wie in der Regel, von Gefühlen bestimmt gewesen. Aber jetzt hatte Lilje den Einwand vorgebracht, den ich mir selbst gegenüber schon viele Male erhoben hatte, ohne daß dadurch meine Überzeugung von der Richtigkeit meiner ursprünglichen Ansicht erschüttert worden wäre. Jetzt stand hier, wie auch in meinem Herzen, Wahrheit gegen Wahrheit. Jetzt kam es darauf an, in gemeinsamem Suchen herauszufinden, was Wahrheit und was Scheinwahrheit war. Es kann nicht zwei Wahrheiten geben. Zwar hatte ich mir in meinen nächtlichen Selbstgesprächen gesagt, wenn sich der Berichter, der Erzähler, der Schreiber, an den »dichterischen« Stellen der Bibel auch einer gehobenen Sprache bediene, einer Sprache, die nicht die Alltagssprache sei, so könne man das doch nicht Dichtung nennen. Es verhalte sich keineswegs so, daß eine Satzgruppe durch gehobene und dichterische Wörter schon zu einer Dichtung werde, denn es fehle ja gerade das, was das Wesen einer Dichtung ausmache: das der Wirklichkeit Entrücktsein, das sich selbst Meinen, das sich selbst Genugsein, das Wahrsein nur in dieser und in keiner andern Gestalt, es stehe vielmehr bei den von Lilje angeführten Stellen und bei vielen weiteren immer und ganz massiv und ganz uneingeschränkt die verkündigende Aussage im Vordergrund, die nicht an diese Gestalt gebunden sei, sondern ebenso gut und ohne den geringsten Substanzverlust, ohne Beeinträchtigung ihrer Wahrheit auch in einer andern Gestalt geschehen könne, zwar hatte ich mir das und Ähnliches immer wieder selbst gesagt, war jedoch von seiner Stichhaltigkeit nie völlig überzeugt gewesen. Nun erhoffte ich mir von diesem Gespräch eine Hilfe. Aber aus dem gemeinsamen Suchen nach der Wahrheit wurde nichts, weil die Gegenseite – und zu ihr gehörten alle andern Gesprächsteilnehmer – auf der Richtigkeit ihrer Position beharrte, so daß sie keine Gegensätzlichkeit und infolgedessen auch keine Problematik sah. Sie hielt die Rechristianisierung Europas durch Kunst grundsätzlich für möglich. Und so nahm die Diskussion denn einen dementsprechenden Verlauf. Wenn ich schließlich auch zugestand, daß es vielleicht angehe, beim Loben, Danken, Beten dichterische, musikalische und bildnerische Formen zu verwenden, obwohl ich auch da gewisse Zweifel am letzten Ernst hätte, zum Beispiel am Ernst eines dichterischen Sterbegebetes, so könne mich doch nichts davon abbringen, eine künstlerische, eine im eigentlichen Sinne künstlerische Verkündigung für verfälscht, weil verharmlost, zu halten. Eine verharmloste Verkündigung möge dies und das, meinetwegen auch etwas Herzbewegendes sein, eine biblische Verkündigung sei sie nicht.

Damit hatte diese Episode im Gespräch mit Eliot ein Ende. Denn mehr als eine Episode war mein Beitrag nicht.

Was aus der Re-christianisierung Europas durch Kunst und was aus der Kirche geworden ist, soweit sie nicht unter dem nüchternen und klaren Wort, nicht unter dem biblischen Realismus geblieben ist, sondern sich unter die verschiedenen Zweige der Kunst gestellt hat, liegt inzwischen am Tage.

Werner Bergengruen

In der Hermannsburger Gesprächsrunde hatte einer gefehlt, von dem gewichtige Voten gerade in dieser Sache zu erwarten gewesen wären: Werner Bergengruen. Vielleicht hätte er an jenem Tage etwas Ähnliches vorgebracht wie damals in Worpswede im Verlauf eines Gesprächs, das nach seiner Lesung in einem kleinen Kreis stattfand. Ich konnte ihn, als sich das Gespräch dem Thema »Konversion« zuwandte, geradeheraus fragen, ohne ihm zu nahe zu treten, warum er Katholik geworden sei. Seine Antwort lautete kurz und bündig: »Weil ich Künstler bleiben wollte.« Es ist verständlich, daß ein Künstler, zumal einer vom Schlage Werner Bergengruens, sich in der weltfrommen, sinnenhaften, ja heiteren Atmosphäre, die der Katholizismus immer wieder um sich verbreitet, wohler fühlt als in der vergleichsweise herberen und nüchterneren des protestantischen Bereichs. Die katholische Kirche ist nun einmal kunst- und künstlerfreundlicher als die protestantische. Es ging Bergengruen aber um mehr als um das Atmosphärische, es ging ihm um das, was er die »heile Welt« nannte. Er wußte seine Kunst von der Analogia entis getragen. Wenn er von Welt und Geschichte sprach, dann sprach er im Grunde und letztlich von Gott. Da die Welt Gottes Schöpfung sei, meinte er, und die Geschichte eine Willensoffenbarung Gottes, lasse sich der

Welt und der Geschichte etwas von Gottes Wesenheit abspüren. Der Künstler sei kraft seines Künstlertums in besonderem Maße dazu imstande und sei vor allen andern dazu aufgerufen, das, was er gespürt und erkannt habe, all das Unsagbare und Undarstellbare, wiederum durch sein Künstlertum, dennoch darzustellen und zu sagen. Er, Bergengruen, habe Freude an allen Werken Gottes am Himmel und auf Erden. In dieser kosmisch-irdischen Einheit, in dieser Einheit von Transzendenz und Immanenz sei gut wohnen. Die Zwangslage des protestantischen Künstlers bleibe ihm jedenfalls erspart. Ich wandte ein, die Welt mitsamt ihrer Geschichte sei zwar Gottes Schöpfung und sie bleibe es auch, sie sei aber durch Adams Empörung und Fall eine bis zur Unkenntlichkeit verderbte, gottferne, ja sogar gottfeindliche Welt geworden. Mithin erschaffe der Künstler, da er den Stoff, aus dem er sein so oder so geartetes Werk bilde, der verderbten und todverfallenen Welt entnehme, wiederum eine todverfallene und verderbte Welt. Indem er ihr aber ein Maß und eine Ordnung gebe und sie dadurch zu einer erlösten, auch in ihren grauenvollsten Gestaltungen noch erlösten, dem Chaos enthobenen Welt mache, wiederhole er die Ursünde, die darin bestand und besteht, es Gott gleichtun zu wollen, sein zu wollen wie

Gott. In einem Winkel seines Wesens wisse er das auch. Er wisse ferner, daß seine Welt, sein Kunstwerk, als das Scheinwerk, das es ist, das Elend des Menschen nicht nur nicht aufzuheben vermöge, sondern es noch vertiefe. Das sei auch der Grund dafür, daß so viele Künstler im Geist erkranken oder Selbstmord verüben. Nicht von ungefähr würden die Künstler im 4. Kapitel des ersten Buches Mose zu den Nachfahren Kains gerechnet. In dieser Spannung stehe der protestantische Künstler, sofern er es mit seinem Protestantismus ernst meine, und diese Spannung müsse er aushalten.

Wann immer und wo immer wir über dies Thema sprachen, Bergengruen und ich, wir fanden kein Ende, weil wir keinen Anfang fanden, keinen Punkt, von dem wir beide ausgehen konnten.

Meine erste Begegnung mit ihm muß anfangs der dreißiger Jahre stattgefunden haben. Den genauen Zeitpunkt weiß ich nicht mehr. Er wollte damals Deutschland, die Landschaft, die Menschen und vor allen Dingen die Geschichte, »erfahren«, in der ursprünglichen und in der übertragenen Bedeutung des Wortes, mit dem Fahrrad ebenso wie mit seinem Geist und seinen Sinnen. Dabei kam er auch nach Worpswede, wo wir in jenen Tagen wohnten. Er klopfte an unsere Tür,

ich bat ihn herein, und sogleich fanden wir ein aufrichtiges Gefallen aneinander.
Sein Fahrradunternehmen war überaus bezeichnend für ihn: ein wenig konservativ, ein wenig wunderlich, ein wenig humoristisch und letztlich doch voller Tiefsinn. Wäre er ein paar hundert Jahre eher auf der Welt erschienen, dann hätte er Deutschland nicht »erfahren« sondern »erritten«. Aber auch zu Rade sprengte er wie ein Herr und Ritter einher. Wer ein Herr ist, ist immer ein Herr. Und wie ein Herr nahm er zur Kenntnis, was er erfuhr, mit Ehrfurcht, wo Ehrfurcht geboten war, und mit Überlegenheit, wo er Zusammenhänge gewahrte, die andern entgangen waren. Ihm zuzuhören, wenn er mit gefurchter Stirn und eindringlichen Augen von seinen »Erfahrungen« erzählte, wenn er Geschichte aus Geschichten und Geschichten aus Geschichte mit Leben und Bedeutung füllte, war für mich ebenso erregend wie beglückend.
Als wir viele Jahre später – und was für Jahre! – im Gang eines D-Zuges standen und die blauen Schwarzwaldberge zwischen Freiburg und Karlsruhe vorüberziehen sahen, stellte sich heraus, daß Werner Bergengruen zu jenen liebenswerten Menschen gehörte, die sich selbst zum besten haben können. Mit einem eulenspiegelischen Zwinkern bekannte er, immer wieder bringe ihn

seine Unfähigkeit, einem sich anbietenden Schüttelreim zu widerstehen, in die seltsamsten Lagen. So spräche ihn jetzt alle Welt daraufhin an, daß er seinen Wohnsitz endgültig in die Schweiz verlegen wolle. Sogar die Zeitungen hätten darüber berichtet. Es sei aber nichts Wahres daran. Wahr sei vielmehr, daß er es nicht über sich vermocht habe, während seines letzten Schweizer Aufenthaltes auf einer an einen Freund gerichteten Postkarte den Schüttelreim zu unterlassen, er ziehe durch Graubünden und suche nach Baugründen. Oder schlimmer noch: als er vor Jahr und Tag die Mitarbeit an einer Festschrift für einen Münchener Professor, dessen Schüler er einmal gewesen war, habe ablehnen wollen, sei ihm zur Begründung unaufhaltsam der Schüttelreim in die Feder geflossen, er habe seinerzeit statt auf Schulbänken in Buhlschänken gesessen. »So eine fragwürdige Art von Dichter bin ich nun einmal«, fügte er heiteren Angesichts hinzu. Ich ließ die Fragwürdigkeit nicht gelten, da es meiner Meinung nach zu den Rechten des Dichters gehöre, hin und wieder mit der Form zu spielen. »Nicht nur hin und wieder«, sagte Bergengruen, während seine Augen sich verwandelten, »sondern immer.« Es frage sich freilich, was man unter spielen verstünde. Der Dichter müsse der Form und damit dem ganzen Kunstwerk ein der Wirklichkeit enthobenes, in sich selbst und mit sich selbst spielendes Dasein verleihen, er müsse sich der Verzauberung durch die Form hingeben und andere durch die Form verzaubern. Form sei aufs innigste mit dem Spiel verwandt und Spiel mit der Verzauberung. Ohne Verzauberung lasse sich Dichtung und überhaupt Kunst nicht wohl denken. Und wodurch solle der Künstler, als Künstler, verzaubern, wenn nicht durch das Spiel der Form, durch die Form des Spiels? – Soweit wollte ich wiederum nicht gehen. Seine Forderung laufe, genaugenommen, darauf hinaus, die Kunst zu entwirklichen und, schlimmer noch, zu enthumanisieren. – Keineswegs, wandte er ein, denn der Mensch sei, laut Schiller, nur da ganz Mensch, wo er spiele. – »Niemand«, konnte ich entgegnen, habe diesen Satz überzeugender ad absurdum geführt als derselbe Schiller. – Im Handumdrehen wurde aus Rede und Gegenrede ein Gespräch, das, im Heiteren beginnend, sich schließlich den schwierigsten Fragen zuwandte, mit deren Beantwortung die Künstler sich seit eh und je abgeplagt haben. Wer sich mit Werner Bergengruen in eine Unterhaltung einließ, mußte damit rechnen, im Augenblick ins Unabsehbare fortgerissen zu werden. Wie denn auch in seinem Werk das unbeschwerte Lachen ebenso zu finden ist wie die dunkle Leidenschaft, die gelöste Hei-

terkeit der Welt und die Rätselhaftigkeit des menschlichen Herzens ebenso wie der Glanz und das Geheimnis des Himmelreichs.
Wenn ich die Augen schließe und an Werner Bergengruen denke, dann steht er immer so vor mir, wie ich ihn zuletzt erblickt habe. In der Mainzer Akademie der Wissenschaften und der Literatur ist es Brauch, daß die neuen Mitglieder in einer festlichen Sitzung, zu der die Öffentlichkeit Zutritt hat, ihre Antrittsreden halten und daß darauf sogleich eine Antwort erfolgt. Da der Redner, der die Erwiderung übernommen hatte, plötzlich erkrankt war, wurde Werner Bergengruen, sozusagen im letzten Augenblick, gebeten, für ihn einzuspringen. Er erklärte sich ohne weiteres dazu bereit. Wenn es galt, Kameradschaft zu üben, war er zur Stelle. Die beiden Novizen, Marie Luise von Kaschnitz und Klaus Mehnert, hatten, jeder auf eine besondere Weise, mit ihren Selbstdarstellungen die Zuhörer gefesselt. Nun trat Werner Bergengruen ans Rednerpult, hager, schicksalsumwittert, schon von der Krankheit gezeichnet. Jedermann wartete voller Spannung darauf, wie er seine Aufgabe anfassen würde. Eine solche Erwiderung ist in keinem Fall eine leichte Sache. Diesmal war sie aber schwieriger als sonst, weil es galt, zwei gegensätzlichen Darstellungen in einer geschlossenen und dazu noch aus dem Steg-

reif entworfenen Gegenrede gerecht zu werden. Bergengruen lehnte sich über das viel zu niedrige Pult, wandte sich den seitwärts in der Gruppe der Akademiemitglieder sitzenden Neuen zu und begann. Dabei kehrte er eine Eigenschaft hervor, deren sich niemand von ihm versehen hatte: die Anmut. Seine Begrüßungs- und Erwiderungsrede war eine der anmutigsten, die ich je vernommen hatte. Aber es war nicht die unmittelbare Anmut, nicht die Anmut der Unschuld, sondern die Anmut des Alters, die ein gründliches und umfassendes Wissen, eine Fülle von Widerfahrnissen und eine schmerzensreiche Einsicht in die Abgründe des Menschseins zur Voraussetzung hat. In seinem Aufsatz über das Marionettentheater, der weit mehr als nur ein Aufsatz ist, legt Heinrich von Kleist dar, daß sich die vollkommene Anmut nur in der Marionette oder in einem Gott verkörpern könne, weil die Gliederpuppe den Gesetzen der Bewegung ohne jedes Bewußtsein, der Gott ihnen aber aus einem unendlichen Bewußtsein heraus nachkomme. Daher, so kann man hinzufügen, die Anmut der Tiere und Kinder, deren Bewußtsein nur gering, und die Anmut der alten und wissenden Menschen, die ein, wenn auch nicht unendliches, so doch ins Außerordentliche gesteigertes Bewußtsein haben. Je weiter und höher ein Bewußtsein reicht, um so anmutiger wird der

Geist. Unter Bewußtsein soll hier allerdings nicht oder nicht nur das wissenschaftliche Bewußtsein, sondern die Summe der Weisheit verstanden werden. Weisheit ist mehr als Wissen. Wer Bergengruens in sich selbst schwebende, weisheits- und zuneigungsvolle Rede mitanhören durfte, gewahrte in der Tat, daß ein Geist, der durch grausame Jahrzehnte hindurch nachsinnend und hervorbringend die offenbaren wie die verborgenen Zusammenhänge der Schöpfung zu fassen versucht, sich nicht mehr von der Unschuld, von dieser Art von Unschuld, entfernt, sondern sich ihr auf eine wunderbare Weise wie in einer steigenden und sich verengenden Spirale wieder nähert.

Rudolf Alexander Schröder

Alle, die den kranken Rudolf Alexander Schröder an seinem letzten Lager besuchten, als das Herz nachließ und die Augen ihren Dienst nicht mehr tun wollten, fanden einen lebenssatten Menschen vor, der die Welt überwunden hatte. Mit lebenssatt soll nicht gesagt sein, daß er das Leben satt hatte, sondern daß er gesättigt von Leben war. Wenn er zurückblickte, konnte er dankbaren Herzens ja sagen zu der Lebensfülle, die ihm im Verlauf von mehr als acht Jahrzehnten zuteil geworden war. Weder lechzte er nach mehr, noch empfand er einen Überdruß am Empfangenen. Er war einverstanden mit dem, was ihm gewährt und was ihm vorenthalten worden war. Er war lebenssatt wie ein Erzvater des Alten Testaments. Und seine Überwindung der Welt bekundete sich nicht in einer Weltflucht oder Weltverachtung, sondern in seiner Liebe zur Welt. Wer überwinden will, muß lieben, nicht begehrend, sondern sich erbarmend, nicht an sich ziehend, sondern sich dargebend. Der Nichtliebende bleibt, was er auch tut, ein Knecht, ein Geschöpf der Angst. Schröder liebte die arme, in die Irre gegangene, in ihre Widersprüche verstrickte Welt. Manche haben seine Liebe Toleranz genannt. Es war aber keine Toleranz im landläufigen Sinne, keine Toleranz der Sache gegenüber, die doch bedeutet, daß einem die Sache nicht am Herzen liegt, es war eine Toleranz der Person gegenüber, wenn er spürte, daß der Betreffende mit seinem ganzen Ernst hinter seiner Sache stand. Mit einem gedankenvollen Lächeln konnte er das Wort von den vielen Wohnungen anführen, die im Hause des Vaters sind. Er hatte seine aufrichtige Lust an der Vielfalt der Menschen. Und wenn die Eiferer diesen und den nicht gelten lassen wollten, wußte er es besser, denn er sah hinter die wunderlichen Masken und Vermummungen, hinter denen die Menschen ihre eigentliche Natur vor andern und vor sich selbst verbergen. Je tiefer man aber in einen Menschen hineinsieht, um so eher ist man zur Liebe bereit. Wie sollte man denn die rat- und hilflose Kreatur nicht lieben, die dann zum Vorschein kommt? Liebe hängt mit Erkenntnis zusammen.

Es ist merkwürdig, aber auch bezeichnend, daß Rudolf Alexander Schröder fast immer nur mit einem Teil seines Wesens im Gedächtnis der Menschen fortlebt. Für die einen ist er in erster Hinsicht der Verfasser geistlicher Gedichte und Kirchenlieder, andere sehen in ihm vorwiegend den eigenständigen und wortmächtigen Übersetzer griechischer und lateinischer, aber auch französischer, englischer und niederländischer Dichtungen. Wieder andere meinen, seine eigentliche Stärke liege im Essay. Und noch andere stellen seine zwischen Herbheit und Grazie sich bewegenden Verse des weltlichen Bereichs am höchsten. Manche kennen vorwiegend den kundigen Bibliophilen, insbesondere den Sammler von Barockliteratur, manche den klassizistischen Innenarchitekten und manche den Maler, der mit behutsamen Pinsel idyllische Szenerien im Umkreis seiner Vaterstadt Bremen festgehalten hat. Einige, die von alledem nur etwas haben läuten hören, erinnern sich aber mit Vergnügen des geselligen Weltmanns, der in einem angeregten Kreis heitere und, wenn die Stunde es zuließ, auch verwegene, auf jeden Fall aber geistsprühende Versreden zu extemporieren wußte. Diesen gilt er als ein Vertreter bremischen Bürgersinns, jenen als einer, dessen Heimat das Universum des Denkens und Dichtens war. Bald steigt, wenn sein Name fällt, das Bild eines Stürmers und Drängers auf, bald die in sich ruhende, der Fragwürdigkeit des irdischen Getümmels entrückte Gestalt eines Weisen.

In Wirklichkeit war er nicht dieser *oder* jener, sondern dieser *und* jener. So erklärt sich die Macht und die Souveränität seiner Persönlichkeit. Die verschiedenen Wesenszüge, die zum Teil auseinanderzustreben schienen, wurden zusammengehalten und geadelt durch einen starken und unbeirrbaren Willen, durch den Willen zur

Klarheit, der seinem reinen Herzen entsprang. Schröder war ein durch und durch reiner Mensch, ein, um es genau zu sagen, keuscher Mensch. Nicht, als ob ihm die Niedertracht der Welt, die Schande und der Schmutz unbekannt geblieben wären, nicht, als ob er als ein reiner Tor durchs Leben gegangen wäre, er wußte recht wohl, was hienieden gespielt wird, und er war erfahren genug, um die Menschen und Verhältnisse so zu sehen, wie sie sind, aber es berührte ihn nicht. Er ging hindurch, ohne befleckt zu werden. So weitherzig er sich geben konnte und so vieles er gelten ließ, eins duldete er nicht in seiner Nähe, ja es konnte in seiner Gegenwart überhaupt nicht aufkommen: ein unsauberes Wesen. Er verstand darunter nicht nur die moralische Unsauberkeit, sondern auch alles Zwielichtige, Undelikate, Abartige, alles Pfuschen und Schludern, alle Nachlässigkeit, wenn Strenge am Platze war, nicht zuletzt die Nachlässigkeit des Denkens und Bildens. Jeder Satz seiner Prosa und jeder Vers seiner Gedichte bezeugten das.

Der Mensch vermutet in der Regel, ohne sich dessen ausdrücklich bewußt zu sein, im andern etwas von seiner eigenen Natur und geht dementsprechend mit ihm um. Der Hochherzige setzt erst einmal voraus, daß auch im andern Hochherzigkeit vorwaltet, und der Heimtückische wittert im andern von vornherein die Heimtücke. Sage mir, wie du deinen Mitmenschen beurteilst, und ich will dir sagen, wer du bist. Ich konnte nur immer wieder staunen, wenn ich gewahrte, wie viel Gutes und Liebenswertes Schröder in den Menschen entdeckte, die ihm über den Weg kamen. Und je älter er wurde, um so entschiedener trat dies Vermögen in Erscheinung. Da er sich selbst als ein Menschenkind empfand und verstand, das zu Gott hin erschaffen war, achtete er auch in jedem andern diese Ebenbildlichkeit, mochte sie noch so getrübt oder verzerrt sein. Es fiel ihm schwer zu verneinen, aber wenn es sein mußte, konnte er auch das, sehr bestimmt sogar. Er scheute den Kampf nicht, aber er führte ihn nach seinen Gesetzen. Und wenn er dann unterlag, dann unterlag er eben. Mehr als der Sieg bedeutete ihm unter allen Umständen die Treue zu sich selbst. Einem solchen Mann begegnen zu dürfen – was für ein tiefes Glück, mehr noch, was für eine Gnade! Ich bin viele Male mit ihm zusammengewesen. Und nie hat er mich gehen lassen, ohne mir etwas von seinem unerschöpflichen Reichtum mitzugeben. Ich bin auch dann noch als ein Beschenkter von ihm gegangen, wenn er mir einen Schmerz, einen unabsichtlichen natürlich, zugefügt hatte. Undenkbar, daß er es über sich vermocht hätte, jemandem absichtlich weh zu tun. Als der Senat der Freien Hansestadt Bremen, deren Ehrenbürger er war, ihn an seinem achtzigsten Geburtstag mit einem Festakt im alten Rathaus ehrte, hatte ich die Laudatio zu halten. Nach mir sprachen ihm noch zahlreiche Vertreter der Gesellschaften und Vereinigungen, deren Mitglied, Ehrenmitglied oder Präsident er war, ihre Glückwünsche aus. Der niederländische Konsul überreichte ihm sogar im Namen der Königin einen Orden. Und dann erhob sich der Gefeierte, um seinen Dank abzustatten. Er tat es mit dem ihm eigenen norddeutschen Charme, den er meisterhaft zu differenzieren und zu temperieren wußte. Einem jeden wurde das Seine zuteil. Nur mir nicht, mich erwähnte er nicht. Ich dachte, während ich merkte, daß sich das Blut aus meinem Gesicht zurückzog, darüber nach, was ich wohl falsch gemacht haben mochte, so falsch, daß er es für angebracht hielt, mir dies anzutun. Aber ich konnte nichts finden. Meiner Meinung nach war es eine ganz ordentliche Rede gewesen. Als die Feier zu Ende ging und ich noch überlegte, ob ich unter diesen Umständen an dem Festessen teilnehmen konnte, das sich anschließen sollte, sah ich, wie jemand an Schröder herantrat und ihm etwas zuflüsterte. Er zuckte zusammen, blickte suchend umher, fand mich, eilte auf mich zu und faßte nach meiner Hand: »Wie ist so etwas nur möglich, lieber Freund? Aber vor lauter Sorge, nur ja niemanden bei meiner Danksagung zu übergehen, habe ich gerade den übergangen, dessen ich ganz sicher war. Ich bin sehr unglücklich, denn ich weiß, wie schlimm es für Sie ist. Unverzeihlich, ganz unverzeihlich, was ich mir da geleistet habe! Trotzdem bitte ich Sie um das große Geschenk der Verzeihung, um das Geburtstagsgeschenk der Verzeihung. Nein, nicht der Verzeihung, sondern der – Vergebung.« Das letzte Wort sprach er nach einem kleinen Zögern so leise, daß nur ich es verstehen konnte. Ich wußte, was er damit sagen wollte. Und ich habe ihm vergeben. Mit einem Male war es ganz leicht, es zu tun. Daß er seinen Dank dann beim Essen in einer Kostbarkeit von einer Rede nachholte und daß er anderntags zu mir herauskam und sich mit einer Umarmung noch einmal für die Laudatio bedankte, war schön und bewegend, aber es hätte dessen nicht mehr bedurft. Wir waren längst d'accord.

Einige Jahre später fand am Abend meines siebzigsten Geburtstags nach der Aufführung eines meiner Bühnenwerke ein festlicher Empfang statt, bei dem es ähnlich zuging wie damals bei der Feierstunde zu Schröders Achtzigstem: eine Rede, mit der ich einverstanden war, Glückwünsche von da und dort und eine heitere Ehrung durch die Schauspieler. Auch ich gab mir bei meinen Dankesworten Mühe, niemanden zu vergessen. Und auch ich vergaß infolgedessen den Dank an den Laudator. So kann es zugehen in der Welt. Hatte ich hin und wieder, wenn irgendwo die Rede auf Schröders achtzigsten Geburtstag gekommen war, mit einem innerlichen Lächeln gedacht, ich hätte ihm seine damalige Vergeßlichkeit zwar aufrichtig und von Herzen vergeben, aber verstanden hätte ich sie eigentlich nicht: jetzt verstand ich sie.

Ernst Wiechert

Zu den Dichtern, die sich von einer jenseitigen Instanz in Pflicht genommen wissen, gehörte auch Ernst Wiechert. Aber während sich die Verpflichtung bei den andern so auswirkt, daß ihr geistiges Profil immer bestimmter wird, verlor Wiecherts Umriß mit den Jahren mehr und mehr an Deutlichkeit. Er hatte eine zarte, ja weiche, dem Meditieren und Träumen zugeneigte Natur, die viel Liebe gab, aber auch vieler Liebe bedürftig war. Um so schrecklicher, daß gerade ihn, den Wehrlosen und Verletzlichen, der brutale Faustschlag der Unmenschlichkeit traf. Als die SS den kämpferischen Pastor Niemöller, den U-Boot-Kommandanten des Ersten Weltkriegs, der für seine Überzeugung unter allen Umständen und ohne jedes Zugeständnis einstand, nach seinem Freispruch durch ein ordentliches Gericht, ohne weiteres in ein Konzentrationslager steckte, stiftete Wiechert einen namhaften Geldbetrag für die Erziehung der Niemöllerschen Kinder. Vielleicht war er sich nicht klar darüber, was das bedeutete, und folgte einfach dem Trieb seines Herzens, vielleicht wollte er damit aber auch ganz bewußt gegen den Rechtsbruch protestieren; wie dem auch sei, die Unmenschlichkeit konnte nicht einmal einen so verborgenen Protest hinnehmen. Auch Wiechert wurde verhaftet und zur Warnung für seinesgleichen in das Konzentrationslager Buchenwald gebracht. Als Goebbels nach geraumer Zeit meinte, es habe sich nun genug herumgesprochen, was jeden Künstler erwarte, der so wie Wiechert aufzubegehren wagte, ließ er ihn frei. Er durfte sogar oder er mußte an dem Dichtertreffen teilnehmen, das gerade in Weimar, also in der unmittelbaren Nähe von Buchenwald, stattfand. Die Versammlung von zweihundert »Dichtern« entbehrte nicht einer gespenstigen Komik. Wo gab es denn ein Land, das zweihundert Dichter auf einmal präsentieren konnte? Was da von den »Dichtern« und für die »Dichter« geredet wurde, war denn auch, mit ganz wenigen Ausnahmen, Geschwätz. Zum Glück hatte man jeweils am späten Abend Gelegenheit, sich in verschiedenen Weimarer Gaststätten und behaglichen Kneipen von den »geistigen« Anstrengungen zu erholen und dort den einen und andern Kollegen zu treffen, dessen Werke man zwar kannte, den man aber noch nie von Angesicht zu Angesicht erblickt hatte. Das war eine schöne Sache. Und wenn der Zufall es wollte, daß man auf einen Gleichgesinnten stieß, dann konnte man endlich wieder einmal ein gutes Gespräch, ein Flüstergespräch führen. Was solche Gespräche damals bedeuteten, wie wohl sie einem taten, welcher Trost ihnen innewohnte, können die Menschen unserer Zeit kaum noch verstehen.

Am zweiten Abend geriet ich in eine Gaststätte, die, wenn ich mich nicht irre, »Zum Schwan« hieß. An allen Tischen hockten die »Dichter« aufs engste mit den Weimarer Kleinbürgern zusammen, die sich in solcher Gesellschaft wunder wie erhoben fühlten. Da entdeckte ich, während ich einen freien Stuhl suchte, Ernst Wiechert. Er saß wie ein Gezeichneter ganz allein an einem kleinen Tisch. Offenbar wollte niemand mit dem Mann, der aus dem Konzentrationslager kam, gesehen werden. Mich kümmerte es wenig. Nach ein paar Begrüßungsworten sagte ich: »Herr Wiechert, wie war es wirklich?« Damals wußte man wohl, daß es Konzentrationslager gab, man wußte auch, daß es in ihnen hart zuging, aber niemand war imstande, mit irgendwelchen Einzelheiten aufzuwarten. Es liefen nur Gerüchte um, die sich nicht nachprüfen ließen. Jetzt saß ich jedoch einem gewesenen Häftling gegenüber, der mir eine verläßliche Auskunft geben konnte.
Wiechert senkte die schweren Augenlider und sagte in seinem langsamen, ostpreußisch gefärbten Tonfall: »Ich darf darüber nicht sprechen. Sie verstehen. Aber« — und jetzt sah er mich voll an — »das Eine können Sie immerhin wissen: lebendig bekommen sie mich nicht wieder hinein. Genügt Ihnen das?« Es genügte mir.
Im Fortgang des Gesprächs stellte sich heraus, daß

ihn nicht der Aufenthalt in Buchenwald, so schlimm er auch gewesen war, am härtesten getroffen hatte, sondern die Art, wie sich ein großer Teil seiner Freunde nach seiner Verhaftung verhalten hatte. Von diesem Augenblick an ließen sie sich nicht mehr in seinem Hause blicken. Sie waren dort aus und ein gegangen, hatten mit ihm zu Tisch gesessen, hatten bei ihm gewohnt, hatten seine Hilfe in Anspruch genommen, aber als es galt, seiner Frau in der Not ihrer Verlassenheit zur Seite zu stehen, und sei es auch nur dadurch, daß sie zu ihr gekommen und eine Weile bei ihr geblieben wären, da versagten sie. Die Angst war, wie so oft, stärker als die Treue. Da erst, als er das erfuhr, begriff er das ganze Ausmaß des Unglücks, das über ihn hereingebrochen war. Die Quälereien im Konzentrationslager hatten seinen Leib getroffen. Die Feigheit der Freunde traf sein Herz. Er hat sich von diesem Schlag nicht wieder erholt.
Einige Jahre später hatte ich noch einmal Gelegenheit, ihn zu begrüßen, im Hause von Bremer Bekannten. Aber seine Bewegungen waren langsam, seine Worte mutlos. Er konnte nicht mehr, und er wollte wohl auch nicht mehr. Es fehlte ihm an der Robustheit, in der veränderten Welt, die nicht die seine war, weiterzuleben. Nicht lange danach ist er gestorben.

Theodor Heuss

Im Jahre 1956 forderte mich der »Volksbund deutscher Kriegsgräberfürsorge« auf, am Volkstrauertag im Sitzungssaal des Bundestages zu Bonn die Gedenkrede auf die Toten des Zweiten Weltkriegs zu halten. Ich sagte zu, betonte aber gleich, daß ich aller Toten gedenken würde, nicht nur der im soldatischen Kampf Gefallenen, sondern auch der durch Folterungen Umgebrachten, der Gehängten, der von Hinrichtungskommandos Erschossenen, der in Gaskammern Erstickten und der auf der Flucht Zusammengebrochenen.

Der Plenarsaal war, wie immer bei diesem Anlaß, dicht gefüllt. So gut wie alles, was in Bonn Rang und Namen hatte, nahm an der Feier teil. Auf der Tribüne saßen die Vertreter der internationalen Diplomatie. Noch nie hatte ich vor einer solchen Zuhörerschaft gesprochen. So beeindruckend das auch für mich sein mochte, etwas anderes, ganz Unerwartetes bewegte mich noch viel tiefer. In der Mitte der ersten Sitzreihe stand der Sessel für den Bundespräsidenten. Noch war er leer. Rechts von ihm hatte Bundeskanzler Adenauer Platz genommen, auf der andern Seite saß ich. Die Bamberger Symphoniker zogen ein. Die Fernsehkameras suchten mit ihren kalten Augen den Saal nach lohnenden Objekten ab. Da ertönte ein Gong, das gedämpfte Gemurmel verstummte, und eine ruhige, aber starke Stimme kündigte mit den Worten: »Der Herr Bundespräsident« das Erscheinen von Theodor Heuss an. Alles erhob sich. Der Bundespräsident betrat den Saal. Und da geschah das für mich Unvergeßliche: auf dem kurzen Weg von der Seitentür bis zu seinem Sessel, den Theodor Heuss mit gemessenen Schritten zurücklegte, war er nicht der väterlich-leutselige Schwabe, nicht der sich gern selbst ironisierende Mann von Welt, nicht der verschlossene Gelehrte, nicht der allem Zeremoniell und überhaupt allem Offiziellen abholde Humanist, sondern er war der Repräsentant des deutschen Volkes, der durch seine Anwesenheit das Andenken der Toten ehren wollte. Nie vorher und nie später habe ich so etwas von gesammelter Würde gesehen, wie sie in diesem Augenblick durch Theodor Heuss verkörpert wurde. Jetzt nahm er sich und sein Amt bitter ernst, weil er das deutsche Volk, in dessen Namen er hier war, und die Toten, denen die Stunde galt, bitter ernst nahm. Seine Würde war ohne eine Spur von Pose, war eine ungewollte und ungewußte, eine aus der Mitte seiner kultivierten und universal gebildeten und interessierten Persönlichkeit kommende, eine wesenhafte Würde, eine Würde aber auch, die von der Last, ja von der Not des Amtes und des Gedenkens geprägt wurde. Sicher war ich nicht der einzige, dem es beim Anblick dieses

Mannes den Atem verschlug. Er begrüßte mich und ließ sich auf dem Sessel nieder. Keilberth hob den Taktstock. Die Feier begann.
Nachher nahm Heuss mich mit sich in einen Seitenraum und sprach mit mir über meine Rede. Dabei griff er einige Formulierungen auf, die ihm gefallen hatten, und stellte sie in bestimmte geistesgeschichtliche Zusammenhänge, so daß unser Gespräch sofort Niveau und Charakter bekam. Das Sprüchemachen, das Reden um des Redens willen lag ihm nicht. Ich wäre ihm gewiß nicht böse gewesen, wenn er es bei ein paar freundlichen Worten hätte sein Bewenden haben lassen, denn es warteten ja an diesem Morgen allerlei Verpflichtungen auf ihn. Aber er war so bei der Sache, daß er sich auch durch die Hinweise auf das Protokoll, die sein guter Geist Bott anfangs in diskretem Flüsterton und dann mit immer dringlicher werdenden Stimme vorbrachte, nicht im mindesten stören ließ. Erst als Adenauer, der bislang stumm daneben gestanden hatte, eingriff, um dem Protokoll zu seinem Recht zu verhelfen, verabschiedete er sich mit einem entschuldigenden Achselzucken von mir.
Noch zweimal habe ich in seiner Gegenwart eine Rede halten dürfen. Einmal auf der öffentlichen Festsitzung der Mainzer Akademie der Wissenschaften und der Literatur, auf der ich die Ge-

denkrede auf Reinhold Schneider übernommen hatte, der im vorangegangenen Jahr gestorben war, und das zweite Mal auf einer Kundgebung aller der Natur verbundenen und verpflichteten Vereinigungen im Auditorium Maximum der Hamburger Universität. Mir oblag es, das Referat, und Heuss, das Korreferat über »Wald und Heimat« zu halten. Ein Korreferat ist fast immer eine schwierige und heikle Aufgabe. Aber Heuss entledigte sich ihrer mit so viel Freiheit und Leichtigkeit, ja Eleganz, daß ihm alle, und nicht zuletzt die vielen jungen Menschen, entzückt zujubelten. Und das, obwohl ihm seine Krankheit, eine Verengung der Gefäße, hervorgerufen durch zu starkes Rauchen, schon hart zusetzte. Aber er wollte sich nicht geschlagen geben. Wenn er glaubte, hier oder anderswo, er werde gebraucht, er könne einer guten Sache von Nutzen sein, war er zur Stelle. Während des anschließenden Essens überkam ihn allerdings immer wieder die Schwäche. Er war schließlich nicht mehr imstande, aufrecht dazusitzen, sein Kopf neigte sich vornüber. Es tat einem weh, den Mann, der eben noch Tausende lächelnd und geistsprühend hingerissen hatte, so gebrechlich zu sehen. Als er hinausgeführt wurde, sank er in sich zusammen. Seine Begleiter mußten ihn unterhaken. Die kraftlos gewordenen Füße schleiften auf dem Boden nach.

Eindringlicher konnte die Fragwürdigkeit des oft angeführten Juvenal-Verses vom gesunden Geist in einem gesunden Körper und die Wahrheit des Jesus-Wortes vom willigen Geist im schwachen Fleisch nicht veranschaulicht werden.
Den drei in seiner Gegenwart gehaltenen Reden habe ich es wohl in erster Hinsicht zu verdanken, daß ich unter denen war, die Heuss am 31. Januar, 1959 an seinem fünfundsiebzigsten Geburtstag, mit dem Großen Bundesverdienstkreuz auszeichnete. Gewöhnlich werden die Bundesverdienstorden auf Vorschlag der Länderregierungen verliehen. Aber diesmal griff Heuss, wozu ihn sein Amt berechtigte, selbst ein. Zum ersten Male. Er schreibt darüber in seinen »Tagebuchbriefen« — und nur deshalb erwähne ich die Sache überhaupt — Folgendes: »Und welche Kümmernis mit der Länderbürokratie, weil ich einigen Leuten, auf die sie nie kommen würde, am 31. 1. individuell gedachte Orden geben will! Ihre, der Bürokratie, Unbildung ist so groß, daß sie bei den von mir persönlich Ausgewählten Rückfragen nach Verdienst und Laufbahn machten.« Zu den Persönlichkeiten, deren Leistung die Kulturbürokratie, also die amtlichen Hüter und Förderer unserer Kultur, nicht kannte, gehörten unter anderen: Carl Friedrich von Weizsäcker, Ernst Jünger, Albrecht Goes, Erich Kästner, Herbert von Karajan,

Georg Solti und Karlheinz Stroux. Sie alle haben, wie auch ich, die Auszeichnung nur deshalb angenommen, weil sie unmittelbar von Heuss kam. Als die Hüter schliefen, hatte er, nach seiner Art, die Augen auf. Auch das fällt unter die Obliegenheiten eines Bundespräsidenten. Vorausgesetzt, daß er über die entsprechenden Augen verfügt.

S. Fischer

Im Jahre 1927 las ich in Berlin auf einem literarischen Abend, den der ebenso junge wie ehrgeizige Verleger Hans Rosenkranz in den Räumen seiner Wohnung veranstaltete, wobei das Schlafgemach als Künstlerzimmer diente, meine neuste Erzählung »Zwei Mörder lieben das Leben«. Da alle Sitzgelegenheiten in den Zimmern gebraucht wurden, mußten wir, meine Mitleser und ich, auf den Ehebetten Platz nehmen. Ich fand das zwar etwas wunderlich, dachte aber, da die andern, die ich übrigens nicht kannte, weiter kein Aufhebens davon machten, das sei eben in Berlin so Sitte. Was wußte ich Anfänger denn vom Berliner Literaturgetriebe? Während meiner Lesung ärgerte ich mich ununterbrochen über die vielen Unzulänglichkeiten meiner Arbeit. Und das um so mehr, als ich das Gefühl hatte, daß die Zuhörer mein ungeschicktes Auftreten und die dilettantische Art meines Lesens belächelten. Es handelte sich um eine der leicht snobistischen Veranstaltungen jener Zeit, an denen »man« teilgenommen haben mußte, wenn »man« weiterhin mitreden wollte. Als ich fertig war, fuhr ich schleunigst wieder nach Osterholz-Scharmbeck zurück, einer kleinen Stadt in der Nähe von Bremen, in der ich damals wohnte, und schwur mir zu, mich nie wieder auf dergleichen einzulassen.

Inzwischen waren in der damals maßgeblichen

»Vossischen Zeitung« des Ullstein Verlages, ohne daß ich etwas davon ahnte, einige geradezu hymnische Zeilen über meine Darbietung erschienen, die zur Folge hatten, daß eines Nachmittags ein Schwan von einem Auto vor unserer Gartentür hielt, dem ein gewisser Dr. Bermann-Fischer und seine ebenso kluge wie aparte Frau entstiegen, um mich im Namen des alten Herrn Fischer einzuladen, die Bücher, die ich hinfort schreiben würde, dem weltberühmten S. Fischer Verlag anzuvertrauen. Es war ein bißchen so wie im Märchen. Ich mußte mir vor lauter Glück erst ein paarmal die Nase putzen. Denn so hinterwäldlerisch lebte ich nun wieder nicht, daß ich nicht begriffen hätte, was es bedeutete, Verlagsgenosse zum Beispiel von Hermann Hesse, Gerhart Hauptmann und Knut Hamsun zu werden. Aber mehr noch als das Märchenhafte bewegte mich das Vertrauen, das der große, alte Mann in Berlin zu dem kleinen, jungen Mann in Osterholz-Scharmbeck hatte.
Nicht lange danach stand ich ihm zum ersten Male in seinem Arbeitszimmer in der Bülowstraße gegenüber. Der Verlag war in einem Hinterhaus untergebracht, ganz versteckt, fast ein wenig schäbig, wenigstens äußerlich. Aber er brauchte ja keine Fassade. Sein Stolz waren die Werke, die er verlegte. Der Mann, der mit sei-

nem Fingerspitzengefühl für künstlerische Qualität, mit seiner Witterung für das, was des morgigen Tages war, und mit seiner nüchternen Menschlichkeit eine nicht geringe Zahl von maßgeblichen Dichtern und Schriftstellern um sich versammelt hatte, nahm sich, wiewohl von gedrungenem Äußeren, eher zierlich, jedenfalls durchaus nicht imponierend aus. Aber wenn er mich mit seinen hellblauen Augen ansah, die, unterstützt von dem Mund mit der leicht vorgeschobenen Unterlippe, gütig-verschmitzt und, wenn es sein mußte, auch zweiflerisch lächeln konnten, merkte ich sofort, daß ich es mit jemandem zu tun hatte, der wacher und wissender war als andere. Später lernte ich, daß er, ehe er sich für etwas entschied, das Für und Wider sehr vorsichtig abwog, daß er aber, wenn die Entscheidung einmal gefallen war, unbeirrbar an ihr festhielt. Sagte er zu einem Menschen ja, dann wurde aus der Unbeirrbarkeit das, was man Treue nennt. S. Fischer gehörte zu den treuen Menschen und, was sehr selten ist, zu den treuen Verlegern. Er sprach mit leiser Stimme, wobei er manchmal ein wenig mit der Zunge anstieß. Merkwürdig, daß mir gerade diese Sprechweise an jenem Morgen meine Befangenheit nahm. Ich wurde warm, ich fühlte mich wohl bei ihm. Er fragte nach meinen literarischen Plänen, nach meiner Familie, nach meinem Leben. Und schon nach einer Viertelstunde war mir, als unterhielte ich mich mit einem älteren Freund. Es stand tatsächlich so, wie er mir bald darauf schrieb: »Zwischen uns bahnt sich, wenn ich so sagen darf, eine gute Freundschaft an aus einer gleichen Gesinnung für viele Dinge des Lebens und Wirkens.« Diese Übereinstimmung der Gesinnungen trat schon bei unserm ersten Gespräch zutage, als ich ihm von meinem neuen Buch »Salut gen Himmel« erzählte und von meinem Traum einer Reise in die Vereinigten Staaten. Was er dazu bemerkte, war überdies so einleuchtend, daß ich nicht umhin konnte, mir zuzurufen: »Tu deine Ohren auf, mein Junge! Hier gibt es etwas zu lernen, was dir so bald nicht wieder geboten wird.« Es blieb aber nicht beim bloßen Beraten und Lernen: der mit allen Feinheiten ausgestattete Kabinenkoffer, mit dem ich dann nach Amerika reiste, und der herrlich warme Ulster, der mir half, die beißende New Yorker Winterkälte zu überstehen, stammten von S. Fischer. Das war so seine Art.

Aber noch vieles andere war seine Art, auch vieles Gegensätzliche: Begeisterungsfähigkeit und Nüchternheit, Liberalität und Kalkulationssicherheit, Freimütigkeit und Verschwiegenheit, Romantik und Geistesklarheit, Humor und Strenge. Menschen, in denen solche Spannungen vorherrschen, sind in der Regel für künstlerische Hervorbringungen bestimmt. Bei S. Fischer ergab sich aus der Spannung eine nervöse Entdeckerfähigkeit für literarische Werte und Begabungen, die in damaliger Zeit kaum ihresgleichen hatte. Er war ein »mittelbarer Künstler«, denn der Verlag, den er aus dem Nichts entstehen ließ, nahm sich wie ein erlesenes Kunstwerk aus.

Größe ist selten liebenswert. Aber der große S. Fischer war zugleich einer der liebenswertesten Menschen. Das äußerte sich gewöhnlich in Kleinigkeiten. Ich erinnere mich an einen Abend in Travemünde, an dem er, wie er es liebte, einen kleinen geselligen Kreis um sich versammelt hatte. Wir begannen jenes Spiel, bei dem eine Person hinausgeht, damit die andern sich über einen Gegenstand einig werden können, den der oder die Hinausgegangene dann durch Fragen erraten muß. Es dürfen aber nur solche Fragen gestellt werden, die mit einem Ja oder Nein beantwortet werden können. Die Reihe, hinauszugehen, kam irgendwann an Frau Bermann, die älteste Fischertochter, allgemein Tutti genannt. Wir einigten uns, dem Vorschlag von S. Fischer folgend, auf einen schwer zu erratenden Gegenstand, auf eine Windmühle, die in meinem gerade erschienenen Buch »Salut gen Himmel« eine gewisse Rolle spielte. Tutti bemühte sich denn auch vergeblich, ihr Ziel zu erreichen. Da sah ich, wie der alte Herr Fischer, mehr unbewußt als bewußt, seinen Zeigefinger kreisen ließ. Er wollte damit den Gang der Windmühlenflügel andeuten und so der geliebten Tochter zu Hilfe kommen. Eine verstohlene, eine liebenswerte Geste, die ihren Ursprung in einem zärtlichen Herzen hatte. Aber auch in seinem Gefühl für Gerechtigkeit. Er war es ja gewesen, der die allzu schwierige Aufgabe vorgeschlagen hatte. Deshalb wollte er seine Strenge durch eine kleine Hilfe ausgleichen. Gerechtigkeit war einer der Grundzüge seines Wesens. Wir saßen im Sommer des Jahres 1933 in dem schönen Haus in der Erdener Straße zu Tische und sprachen über eine abscheuliche Maßnahme der neuen Regierung. S. Fischer, der unfähig war, das Gemeine zu begreifen, sagte nur: »Aber das ist doch nicht gerecht.« Und noch ein paarmal: »Aber wie können sie denn so etwas tun, das ist doch nicht gerecht?« Als ob es damals um Gerechtigkeit gegangen wäre. Nur eben, S. Fischer konnte nicht anders denken als in den Begriffen der Anständigkeit und Gerechtigkeit. Ein Hilfloser und Verlorener gegenüber den Sendboten der Hölle. Aber wie tief liebenswert gerade in dieser Hilflosigkeit!

Im folgenden Jahr starb S. Fischer. An seinem Sarge sprach Oskar Loerke ihm den Dank der älteren Autorengeneration aus, und ich versuchte zu sagen, was der Verstorbene uns Jüngeren bedeutet hatte. Hier einige Stellen aus meiner Rede: »Es ist uns, die wir das Werden und Wachsen seines Verlages nicht von Anfang an miterlebt haben, sondern erst vor einigen Jahren hinzugestoßen sind, als alles schon groß und gefestigt dastand, es ist uns bei der persönlichen Begegnung mit dem Manne, der nun unser Führer, Freund und väterlicher Berater werden sollte, seltsam genug ergangen. Mit dem Namen S. Fischer verband sich für uns zunächst einmal die Vorstellung eines Verlagshauses, eines literarischen Programms, einer geistigen Macht, einer strengen Gerechtigkeit, einer obersten Instanz, jedenfalls die Vorstellung von etwas Unpersönlichem. Daß es auch einen Menschen aus Fleisch und Blut namens S. Fischer gab, blieb, wenn wir es überhaupt wußten, fürs erste belanglos.

Aber dann kam nach mancherlei Hin und Her der Tag, an dem man sich vor einem kleinen, sehr klug aus seinen hellblauen Augen blickenden Herrn verneigte und zugeben mußte, daß S. Fischer nicht nur eine Institution, sondern auch ein Mensch war. Aber was für ein Mensch! . . .

Wir sind in Zeitläuften aufgewachsen, die durch Ehrfurchtslosigkeit gekennzeichnet werden. Weder konnten noch wollten wir verehren. Menschen und Dinge schienen uns zu fragwürdig, als daß wir das Knie vor ihnen hätten beugen mögen. Darf ich in dieser Stunde gestehen, daß S. Fischer zu denen gehörte, die uns durch ihr bloßes Menschentum dazu gebracht haben, ob wir wollten oder nicht, wieder Ehrfurcht zu empfinden. Ehrfurcht in erster Hinsicht vor so viel Bescheidenheit, bei so viel Weisheit, Ehrfurcht vor der zurückhaltenden Art, mit der er seine Gedanken darlegte, Ehrfurcht vor seinem Lächeln, in dem so viel Wissen um die Traurigkeiten und Dunkelheiten des Daseins lebte, Ehrfurcht vor seinen Träumen und Sehnsüchten, Ehrfurcht vor seiner Güte gegen alles Schwache und Ehrfurcht vor seinen Fehlern, die ihn noch liebenswerter machten, als er schon war ...

Jetzt erst, mit der Kenntnis oder doch mit der Ahnung des Menschen, empfanden wir auch die Größe, den Sinn und die Geschlossenheit seiner Schöpfung, des Verlages S. Fischer. Wie hatten wir jemals diesen Verlag für etwas Abstraktes halten können, wo doch nahezu jedes Buch einen mehr oder weniger vollkommenen Ausdruck einer Wesensseite von S. Fischer bildete! Man könnte sich anheischig machen, aufzuzeigen, in welcher Dichtung er sein Mitleid, in welcher er sein Lächeln, in welcher er seine Ritterlichkeit, in welcher er seine Kampfeslust und in welcher er seine Träume verkörpert sah. Er hat nur Dichtungen an den Tag treten lassen, die er ganz unmittelbar liebte. Eine Dichtung lieben, was bedeutet das anderes, als in ihr einen Teil des eigenen Ichs vermuten?«

Es ist mir nicht bekannt, wie andere heute über den Verleger S. Fischer denken. Ich denke immer noch genauso über ihn wie damals. Vielleicht, daß meine Dankbarkeit noch etwas größer geworden ist.

Joachim Ringelnatz

Wäre mein Jugendfreund Bruno Snell, Altphilologe seines Zeichens und ein der klassischen wie der neuen Literatur Beflissener, nicht so beharrlich bemüht gewesen, mich zu einem Besuch des Kabaretts »Simplicissimus« zu überreden, dann hätte ich wahrscheinlich mein Studium in München beendet, ohne mit Joachim Ringelnatz von Angesicht zu Angesicht zusammengetroffen zu sein. Ich verspürte nämlich nicht die geringste Neigung, meine kostbare Zeit, anstatt zur Verbesserung der Welt, womit ich damals beschäftigt war, zu einem Besuch im »Simpl« zu verwenden. Aber der Freund gab nicht nach, und so betraten wir eines späten Abends das kneipenartige, verräucherte, mit Fotografien und Kunstgemälden tapezierte Lokal, in dem eine von straffer Korsage zusammengehaltene Juno namens Kathi Kobus regierte, Joachim Ringelnatz mit seinen bizarren Turn- und Kuddeldaddeldu-Gedichten die Allerweltsgäste abwechselnd schockierte und erheiterte und ein seelisch etwas abwesender Klavierspieler seine und die sonstigen Darbietungen auf dem winzigen Podium, wenn es angebracht und er dazu in der Lage war, mit zurückhaltenden Improvisationen untermalte.

Wir kamen zur guten Stunde, denn Ringelnatz, ein kleiner, magerer, krummbeiniger Mann mit grüblerischen Augen, einer gebogenen, nicht zu übersehenden Nase und einem sich ihr entgegenbiegenden Kinn, war gerade im Begriff, die Uraufführung eines Gedichtes auf Kathi Kobus zu veranstalten. Zu dem Zweck trug er schweigend und langsam einige Stühle zusammen und errichtete damit vor dem Podium eine Barrikade, um sich vor dem zu erwartenden Zornausbruch seiner Brotgeberin zu schützen, die ihrerseits, da sie Schlimmes witterte, sich sofort daran machte, das Stuhlhindernis wieder zu beseitigen. Aber was sie hier abtrug, baute der gute Joachim mit melancholischer Beharrlichkeit dort wieder auf. Sie stritten, begleitet von schmelzenden Arpeggios, eine Weile miteinander, bis Kathi sich schließlich unter Ausstoßen dunkler Drohungen zurückzog und der Sache ihren Lauf ließ. Alles harrte gespannt des Kommenden.

Wir hatten inzwischen, Bruno und ich, an einem rückwärtigen Tisch Platz genommen, an dem ein baltischer Baron Osten-Sacken, Brunos Bekannter, und der mit einem viereckigen, schwarzen Assyrerbart ausgestattete alpine Schriftsteller Schmidkunz schon seit geraumer Zeit von Kathi mit spanischem Wein gelabt worden waren und sich dementsprechend wohl befanden. Was den Wein betraf, so schlossen wir uns ihnen an, zu unserem Glück, wie sich später herausstellen sollte. Der Klavierspieler ließ seine Kunst in einen zarten Triller ausklingen, dem ein gedämpfter Paukenschlag folgte. Ringelnatz begann sein Kathi-Kobus-Gedicht zu sprechen. Das heißt, er sprach es nicht, sondern er nuschelte, krächzte, hustete, flüsterte, seufzte es, auf dem Podium hin und her gehend, vor sich hin, mit Pausen des Nachdenkens, in denen er scheue Blicke zu Kathi hinübersandte, mit Abwinken, Kopfkratzen und Nichtweiterkönnen, ganz so, als stoppele er es jetzt erst zusammen. Ein richtiges Ringelnatzgedicht in der eigentümlichen Mischung von Frechheit, Kindlichkeit, Unanständigkeit und versteckter Zärtlichkeit. Ein richtiges Ringelnatzgedicht aber auch deshalb, weil er es selbst vortrug. Wer seine Gedichte nur gedruckt kennt, weiß nicht genug von ihnen. Ohne Ringelnatz ist ein Ringelnatzgedicht nur die Hälfte wert. Bei den Unanständigkeiten gab Kathi sich den Anschein, als wolle sie die Stuhlbarrikade nun endgültig erstürmen, beruhigte sich aber schnell wieder, wenn eine Zärtlichkeit folgte, die sie mit gerührtem Schnaufen zur Kenntnis nahm. Das Ganze war ein kabarettistisches Meisterwerk, das denn auch von allen Gästen kennerisch genossen und beklatscht wurde.

Als Ringelnatz das Seine vollbracht und mit Kathi endgültig Frieden geschlossen hatte, schlich er zwischen den Tischen umher und besah sich die

Flaschen. Zu meiner Überraschung tat es ihm unser Malaga an. Er ließ sich ohne weiteres bei uns nieder, trank in schöner Überparteilichkeit bald aus diesem, bald aus jenem Glas, blickte jedem von uns mißtrauisch in die Augen und erging sich über die Vorzüge des spanischen Weines im allgemeinen und über unseren Malaga im besonderen, wobei er ausgebreitete und intime Kenntnisse an den Tag legte. Mit Osten-Sacken schien er gut bekannt zu sein, er redete ihn jedenfalls mit du an. Allerdings hielt er es im Verlauf der Nacht mit uns anderen ebenso. Was er des weiteren sagte, war eine Art Monolog, den er in der gleichen Art vor sich hinnuschelte, die ihm vorhin auf dem Podium beliebt hatte. Wenn jemand von uns eine Bemerkung einwarf, beachtete er sie nicht. Er redete von Gott und der Welt. Da er sich offenbar von Assoziationen leiten ließ, bewegten sich seine Gedanken in wunderlichen Verschlingungen, Sprüngen, Überschneidungen und Wiederholungen. Es waren Bekenntnisse eines Schiffbrüchigen, der, an ein paar Wrackstücke geklammert, ohne Hoffnung auf dem Ozean des Lebens dahintrieb, es waren Bilder, Schemen, Geschichten, Schicksale, Fetzen von Schicksalen, die aus einem alkoholischen Nebel auftauchten und in ihm wieder vergingen. Ein paarmal brauste er zornig auf, vergaß aber bald, worüber er sich er-

regt hatte, und sprach ganz friedlich weiter. In manchen Augenblicken bekamen seine Darstellungen eine fast unnatürliche Umrißschärfe. Ein Mensch stand dann, ein Zimmer, eine Straße, ein Schiff, eine Spelunke, eine Landschaft, eine groteske oder makabre Situation wie im Scheinwerferlicht da. Aber nur kurze Zeit, dann erloschen sie wieder. Ich konnte nur staunen über die Fülle dessen, was dieser Mann erlebt hatte, was in ihm vorgegangen war und jetzt noch vorging, was für seltsame Gedanken und Einfälle durch ihn hindurchwehten und im Dunkel unwiederbringlich versanken. Das in seinen Gedichten und Prosastücken Festgehaltene ist nur ein ganz kleiner Teil seines gespenstischen Reichtums. Wenn das Tonband damals schon erfunden gewesen wäre, was für Schätze hätten wir allein an diesem Abend sammeln können!
Mit dem Fortschreiten der Nacht ergab es sich, daß auch wir anderen das Wort ergriffen, ob es angebracht war oder nicht. Sogar ich wagte es, Ringelnatz irgend etwas entgegenzuhalten, was er aber nur mit einem traurigen Blick beantwortete. Er konnte unendlich traurig aussehen und sprechen, aber nie, auch nicht in der tiefsten Betrunkenheit, wurde er sentimental. Er war ein Mann, bis in jene Abgründe seines Wesens ein Mann, in die seine Betrunkenheit nicht hinabreichte.

Gegen vier Uhr morgens warf Kathi Kobus uns, nachdem sie schon verschiedentlich Feierabend geboten hatte, ohne an der zeitlichen Unangebrachtheit dieses Ausdrucks Anstoß zu nehmen, endgültig hinaus. Wir setzten uns auf die Kante des Bürgersteigs und wußten nicht, wo wir bleiben sollten. Da war es der alpine Schriftsteller, der uns einlud, mit in seine Wohnung zu kommen und dort noch einen Mokka zu trinken, den seine Frau Lilli uns bereiten würde. Mit schwerfälliger Entschlossenheit bewegten wir uns im großen und ganzen in Richtung Glaspalast, in dessen Nähe der Schwarzbärtige wohnte. Dort angekommen, stiegen wir in einem marmornen Treppenhaus empor, befanden uns alsbald in einer flurartigen Diele, in der wir unsere Hüte und Mäntel an vorhandene und nicht vorhandene Haken hängten, und machten es uns dann in den Sesseln eines weitläufigen Wohnzimmers bequem. Sogleich erschien am Arm ihres Gatten die schlaftrunken blinzelnde Dame des Hauses. Sie hatte ihre Lieblichkeit nachlässig in etwas Seidenes gehüllt und sah so aus, als sei sie an dergleichen Störungen ihrer Nachtruhe gewöhnt. Wir wurden ihr vorgestellt, soweit das noch möglich war. Zuletzt Ringelnatz. Nachdem er als Einziger von uns ihre Hand geküßt hatte, ohne vornüberzufallen, öffnete er vorsichtig sein Jakett, zog zur allgemeinen Verblüffung eine taufrische, dunkelrote Rose heraus und überreichte sie ihr mit einer untadeligen Verbeugung und unbewegten Gesichts. Er war nicht nur ein Mann, sondern auch ein Kavalier. Manche meinen, das sei dasselbe. Die Rose hatte er übrigens im Vorbeigehen einem Strauß entnommen, der in der Diele vor dem Spiegel stand. Ein Kavalier läßt keine Gelegenheit aus, wenn es gilt, einer Dame zu huldigen.

Karl Heinrich Waggerl

In einer Gesprächsrunde erzählte jemand, er habe einen Brief erhalten, in dem ein Mädchen ihn frage, was man tun müsse, um ein guter Mensch zu werden. Er sei sich nicht recht schlüssig, was er antworten solle. Deshalb bitte er die Gesellschaft, ihm zu helfen.
Nach einigem Hin und Her stellte sich heraus, daß fast jeder der Anwesenden unter einem guten Menschen etwas anderes verstand und daß dementsprechend die Vorschläge für den Weg zum Gutsein sehr verschieden waren. Immerhin stimmten die meisten insofern überein, als sie davon ausgingen, das Gutsein eines Menschen habe etwas mit seinem Verhältnis zu den schwachen Geschöpfen und zu kleinen Dingen in der Welt zu tun. Als man sich um eine genauere Formulierung bemühte, kam man schließlich zu dem Ergebnis, zum Gutsein gehöre mehr als ein bloßes Verhältnis, es gehöre vor allem und unabdingbar die Liebe zum Schwachen, zum Kleinen und zum Unauffälligen dazu.
Wenn es damit seine Richtigkeit hat – und das hat es wohl, wenngleich es sich noch nicht um eine erschöpfende Aussage handelt –, dann ist Karl Heinrich Waggerl ein guter Mensch, soweit überhaupt ein Mensch gut genannt werden darf. Ich habe das so recht erfahren, als ich ihm in Wagrain, einem Dorf im Salzburger Land nicht weit

von seinem Geburtsort Badgastein, im Hause unseres gemeinsamen Freundes, des Dichters Lutz Besch, gegenübersaß. Der erste Eindruck war: ein Bauer. Sein Gesicht drückte trotz seiner Zerrissenheit eine bäuerliche Ruhe aus. In allem, was er sagte, wurde eine tiefe Liebe zu seinem Dorf und seiner Landschaft spürbar. Offensichtlich fühlte er sich in den umschränkten Verhältnissen wohl. Ebenso offensichtlich war er davon überzeugt, daß er sein Handwerk verstand. Er lebte ganz nahe bei den Dingen, mit denen er umging, ganz nahe bei Tisch und Stuhl, Teller und Löffel, Schrank und Bett, Haus und Garten. Er gebrauchte sie nicht einfach, sondern er besaß sie, sie gehörten zu ihm, sie waren sein eigen.

Der zweite Eindruck war: das Gegenteil von einem Bauern. Er hatte unverkennbar einen vagabundischen, ja schlawinerhaften Zug. Beim Erzählen brachte er mit einem wissenden in sich Hineinlächeln Wirklichkeit und Traum durcheinander. Vom Wert des Geldes hatte er nur eine unzulängliche Vorstellung, und er wollte auch keine andere haben. Er besaß einen Charme, wie ihn nur die aus einer inneren Überlegenheit sich ergebende Sorglosigkeit gewährt. Mit einem Achselzucken oder einer gelassenen Handbewegung, konnte er einem zu verstehen geben, daß er alles für gleich eitel und gleich wunderbar hielt.

Man sollte meinen, Eigenschaften von solcher Gegensätzlichkeit könnten sich in ein und demselben Menschen nicht vertragen. Sie tun es auch nicht. Und doch gehören sie zusammen. Denn sie erzeugen durch ihre Unvereinbarkeit eine innere Spannung, die eine der Voraussetzungen wie für jedes, so auch für Waggerls Dichtertum ist. Eine Voraussetzung, mehr nicht. Das Eigentliche bleibt Geheimnis.

Manchmal glaubte ich allerdings, Waggerls Geheimnis auf der Spur zu sein, etwa als er mit einem scheuen Lächeln die Ansicht andeutete, auch die größten Gedanken und tiefsten Einsichten seien nicht der Weisheit letzter Schluß. Das Mysterium der Welt liege im Geringen verborgen. Wer die kleinen, die leisen, die schwachen Dinge und Kreaturen beachte, mit Liebe beachte, sei dem Mysterium ganz nahe. – Ich erkannte in der Scheu seines Lächelns, daß diese Liebe etwas mit dem Religiösen zu tun hatte, mit der Caritas.

»Wir wissen nicht,
womit der Steinbrech Steine bricht.
Er übt die Kunst auf seine Weise
und ohne Lärm. Gott liebt das Leise.«

Gott liebt gewiß nicht nur das Leise, aber auch das Leise. Wer sich in der Bibel ein wenig auskennt, weiß, daß er sich dem Elia nicht offenbarte, als ein Sturmwind einherbrauste, der Berge zerriß und Felsen zerstieß, auch nicht, als die Erde erbebte, auch nicht, als ein wilder Feuerbrand aufloderte, sondern als ein verwehendes Schweigen heranzog. Ein guter Mensch, so hätte jemand an jenem geselligen Abend auch sagen können, liebe wie Gott das Unauffällige und Geringe, und er liebe es mit der dem Geringen gebührenden Behutsamkeit. Und das tut Waggerl. Nicht nur als Schriftsteller, sondern fast noch mehr als Maler.

Sein Zeichenstift wie sein Pinsel gleicht einem Zauberstab, der alles, was er damit berührt, auch das Unscheinbarste und gerade das Unscheinbarste, an dem andere vorübergehen, in eine Kostbarkeit verwandelt, ein welkes, halb zusammengerolltes Blatt etwa, wie sie zu Millionen herumliegen, die leere Hülse einer Roßkastanie, ein gebleichtes Knöchelchen, einen Kieselstein, eine Haselnuß, eine Flaumfeder, eine Flechte auf einem Stück Holz, eine Blattknospe, die sich gerade öffnen will, eine geringelte Apfelschale und vieles Sonstige. Weil er genau und mit liebenden Augen hinsieht, die ja nicht blind sind, wie das Sprichwort wissen will, sondern scharfsichtiger als alle andern, erblickt er wahre Wunder von Farben und Linien. Er erblickt das hingehauchte Licht, das süße Ineinander von grünlichen, grauen und goldenen Tönen, die durchsichtigen Schatten, die leicht und weich sich hinschwingenden Linien mit ihren Überraschungen, die plastischen Formen, die Auge und Hand zu Liebkosungen verlocken. Er erblickt sie und stellt sie mit seinen feinen Werkzeugen bis in die winzigsten Zartheiten dar. Es ist, als heiße die Liebe ihn, immer schärfer und noch ein bißchen schärfer hinzusehen, damit er sich auch nicht die allergeringste Möglichkeit entgehen ließe, die dazu führen könnte, die Unfaßlichkeit der Dinge zu erfassen. Der Sinn der Dinge besteht für ihn darin, einfach dazusein, in ihrer ganzen Rätselhaftigkeit und Wunderbarkeit dazusein, ein Wunder zu sein. Darum ist es ihm bei seinen Darstellungen zu tun: um das Wunder.

Und um das Lächeln. Waggerl kann lächeln und seine Werke lächeln lassen, ganz still, ganz für sich. Und wenn jemand meint, lächelnde Kunstwerke könne man doch nicht für voll nehmen, dann soll er wissen, daß es im Bereich der Kunst nichts Ernsteres gibt als das Lächeln. Lächeln setzt die höchste Freiheit voraus. Allerdings die Freiheit in der Gebundenheit. Und gerade darin besteht das Wesen der Kunst. Waggerls Lächeln sieht so aus: auf ein weißes Blatt setzt er links oben eine Stubenfliege hin. Weiter nichts. Aber diese Fliege, die mit dem Pinsel so klein gezeichnet ist, wie Gott sie nun einmal erschaffen hat, stellt ein vollkommenes Kunstwerk dar. Der Künstler hat sie mit einer geradezu besessenen Treue bis in das gläserne Hellblau ihrer Flügel, bis in jedes Häkchen ihrer Beine wiedergegeben – und mit Liebe. Darum ist sie ein Kunstwerk, wegen des Könnens und wegen der Liebe. Und darum ist sie eine ganze Seite wert. Und darum erheitert sie jeden im Sinne des schillerschen »Ernst ist das Leben, heiter ist die Kunst«. Und darum ist der Mann, der sie mit einem hintergründigen Lächeln gezeichnet und so viel Platz um sie herum gelassen hat, ein guter Mann. Auf diese so einfach hingesagte Feststellung könnte nun das »Quod erat demonstrandum« folgen. Aber hier gibt es ja nichts zu beweisen. Und wer wüßte denn auch etwas mit einem solchen Beweis anzufangen? Allenfalls jenes ratlose Mädchen. Sein Brief kam aus Japan.

Knut Hamsun

An einem Junitag des Jahres 1943 schlenderte ich in Berlin auf einem Bahnsteig des Lehrter Bahnhofs auf und ab und wartete darauf, daß der Zug, der mich zurück nach Bremen bringen sollte, bereitgestellt würde. Da fiel mir ein hochgewachsener, alter Mann auf, der ganz allein auf dem gegenüberliegenden Bahnsteig stand. Ein Mann? Ein Herr! Ich traute meinen Augen nicht: die kühne, leicht gebogene Nase, der struppige, aufwärts gerichtete Schnurrbart auf der Oberlippe, der suchende Blick unter starken Brauen, die kantige Stirn, der kraftvolle Nacken, der Kragen, der aussah, als sei er nicht völlig geschlossen, der weich geschlungene Schlips, der große Hut, die Einsamkeit um ihn her, das war doch Hamsun, Knut Hamsun, der größte lebende Dichter, einer der größten überhaupt! Seit ich seinen »Pan« gelesen hatte, diesen wilden und zarten Hymnus auf den Frühling, Sommer und Herbst eines windübersausten Waldes an einem Fjord im nördlichen Norwegen, dies Hohe Lied auf den schamlosen und keuschen Wahnsinn der Liebe, wußte ich, daß ich ihm und seiner Welt bis an mein Lebensende verfallen sein würde. Ich ging sogar hin und kaufte mir die norwegische Ausgabe des »Pan«, um den unverwechselbaren Klang und Rhythmus seiner Sprache kennenzulernen: »I de siste dager har jeg taenkt og taenkt pa Nordlandssommerens evige dag . . .« Jedes weitere Werk von ihm, das immer und durchaus sein Werk und doch etwas vollständig Neues war, bestärkte mich darin. Es steht auch heute noch so, daß mich die weinrote Reihe seiner gesammelten Werke immer noch magisch anzieht. An welcher Stelle ich eins dieser Bücher auch aufschlage, ich bin sofort davon gefangen. Wer außer ihm brächte es denn fertig, in dem umschränkten Lebensraum eines weltverlorenen Fischerdorfes an irgendeiner Bucht im Nordland, in dem er die meisten seiner Geschichten geschehen läßt, die ganze Weite und Tiefe des Lebens mit dem Durcheinander von Treue und Verrat, Seligkeit und Unseligkeit, Freude und Elend, Größe und Verderbtheit, Hochherzigkeit und Jämmerlichkeit, Unschuld und Schuld, Leidenschaft und Dumpfsinn, Glaubensinnigkeit und Zynismus in nie versagender Schöpferkraft darzustellen? Er hatte mich als jungen Menschen erschüttert, im wortwörtlichen Sinne erschüttert, er hatte an mir gerüttelt und mich in die Knie gezwungen, was kein Wunder war, und er erschütterte mich auch damals, 1943, noch, wenngleich aus andern Gründen und auf andere Weise als früher. Daran konnte auch sein politisches Verhalten während des Zweiten Weltkrieges nichts ändern. Er hatte mit Bestimmtheit für Deutschland Partei ergriffen

und seine Landsleute aufgefordert, es ihm gleichzutun. Große Menschen sind auch in ihren Irrtümern groß. Hamsun war kein Mann der halben Sachen. Er meinte nun einmal, Norwegens Platz sei in der gewaltigen Auseinandersetzung an Deutschlands Seite. Und wenn er etwas meinte, dann trat er auch mit seiner ganzen Person dafür ein. Sein alter Haß gegen alles Angelsachsentum, gegen das, was er unter Demokratie verstand, und seine oft bekundete Liebe zu Deutschland hatten ihn so verblendet, daß er nicht sah und vielleicht auch nicht sehen wollte, wie wenig Hitlers Deutschland mit dem Deutschland seiner Liebe zu tun hatte. Hinzu kam, daß er ein Mensch war, der sich nie von Zeitströmungen beeindrukken ließ. Er hielt es mit dem Spruch, daß dem Strom entgegengehen muß, wer zur Quelle kommen will. Ganz Norwegen war gegen Deutschland, also war er für Deutschland.
Deshalb wunderte ich mich nicht, daß ich ihm in Berlin begegnete, wohl aber, daß er so allein und mehr als allein war. Der mir dort gegenüberstand, nur durch zwei Gleise von mir getrennt, wirkte so mutterseelenverlassen, wie ein Mensch nur wirken konnte. Ich wußte damals noch nicht, daß er kurz vorher mit Hitler gesprochen hatte. Das Zusammentreffen muß, wie wir heute wissen, ziemlich grimmig verlaufen sein. An einem Mann

wie Hamsun prallte Hitlers berühmte »Ausstrahlung« wirkungslos ab. Und Hitler war nicht gewohnt, daß ihm jemand geradeheraus seine Meinung sagte. Weder Hamsun noch sonst jemand hat damals etwas über den Verlauf des Gesprächs verlauten lassen. Nur Hamsuns Sohn Tore erfuhr später, was vorgefallen war. »Ich mochte ihn nicht«, bekannte Hamsun. »›Ich‹ sagte er die ganze Zeit, ›ich, ich‹! Dann hielt er mir einen endlosen Vortrag, von dem ich fast nichts verstand. Lauter Pläne und der Hinweis auf eine Eisenbahn, die er von Drontheim aus irgendwohin führen wollte ... Ob er hysterisch wirkte? Nein, das nicht. Er sprach ruhig. Aber zum Ende hin, schien mir, sprach er laut. Aber ich mochte ihn nicht. Er wirkte untersetzt und klein, sah aus wie ein Handwerksbursche.« – Ebensowenig wie Hitler auf Hamsun Eindruck machte, gelang es Hamsun, Hitler Zugeständnisse für seine drangsalierten Landsleute abzuringen. Und deswegen hatte er ihn doch aufgesucht. »Das Ganze endete damit«, fährt Tore Hamsun fort, »daß Vater einen Nervenzusammenbruch bekam. Er weinte vor Enttäuschung darüber, daß seine Mission mißglückt sein sollte. Damals hätte er vielleicht fühlen müssen, daß der Gefreite, der den General erschoß, kein Mann nach seinem Sinn war. Aber Vater schwieg still. Er hatte in Dankbarkeit unter

Wilhelm, unter Ebert und unter Hindenburg auf der Seite des deutschen Volkes gestanden. Für ihn war nicht das System entscheidend, für ihn gab es nur das Dankbarkeitsgefühl, das er Deutschland gegenüber empfand. Meinem Vater war der Rhythmus seines eigenen Volkes fremd geworden, und daher geriet er unter die Räder.«

Diesen Hamsun erblickte ich an jenem Junitag. Obwohl ich nichts von dem ahnte, was gerade über ihn gekommen war, spürte ich doch, daß da einer stand, der jetzt keines Menschen Nähe vertrug. Ich brachte es nicht über mich, in seine Einsamkeit einzudringen. Es gibt keine Größe ohne Einsamkeit. Hier handelte es sich jedoch um eine andere Art von Einsamkeit, um die Einsamkeit des Gescheiterten, Geschlagenen, auf den Tod Verwundeten, des von niemandem mehr Verstandenen, des sich selbst nicht mehr Verstehenden, des an sich selbst bis an die Grenze des Irrsinns, bis über die Grenze des Irrsinns hinaus Leidenden. Es war ganz undenkbar, daß ich, ein Fremder, jetzt an ihn herantrat und ihn ansprach. Wahrscheinlich hätte er mich in ähnlicher Weise angesehen, wie er später, als man ihm in Oslo den Prozeß machte, den Untersuchungsrichter ansah, der ihn fragte, ob er die Deutschen für ein Kulturvolk halte: »Ich antwortete nicht«, schreibt er in seinem letzten Buch »Auf überwachsenen Pfa-

den«. »Er wiederholte die Frage. Ich sah ihn an und antwortete nicht.« Was für ein Blick muß das gewesen sein! Aber der Untersuchungsrichter kroch nicht in eine Ecke und schämte sich, sondern fragte weiter. – Immerhin hätte ich vielleicht an dem Mann auf dem anderen Bahnsteig vorübergehen und den Hut tief ziehen können. Vielleicht hätte es ihn gefreut. Vielleicht wäre er aber auch zusammengezuckt. Zu manchen Zeiten erträgt ein Mensch nicht einmal mehr die Verehrung. So blieb ich, wo ich war.
Dennoch habe ich mit ihm gesprochen. Man kann auch über zwei Gleise hinweg mit jemandem sprechen, man kann auch mit jemandem sprechen, der dasteht und schweigt, man kann auch schweigend miteinander sprechen: »Wie hältst du es nur aus, daß es dich, den Noblen, den Herrscherlichen, den Aristokraten bis ins hohe Alter, ja im hohen Alter erst recht, zu den Wurzellosen, Schaumschlägern, Schwindlern, Betriebsamen, Gewöhnlichen, Windmachern, Verkommenen, Schlaffen und Verdorbenen hinzieht; daß du mit dem Urdrang deines Blutes an der Erde hängst, an den Wäldern, an der urbar gemachten Einöde, und zugleich ruhelos von Ort zu Ort wanderst, ein Umgetriebener, ein Neurastheniker, ein Auswurf der Stadt; daß du mit weiten Würfen deinen Reichtum verschwendest, unbedenklich, großzü-

gig, königlich, und zugleich ein Knauserer bist, ein Geizkragen, der sich tagelang ärgert, wenn ihn jemand übervorteilt hat; daß in deinem Herzen eine ergreifende Scheu und Sauberkeit und zugleich eine Leidenschaft wohnt, die vor nichts, aber auch vor gar nichts Halt macht und dich zu einem willenlosen, im Staube sich windenden Sklaven erniedrigt, ohne Anstand, Würde und Ehre; daß du den Zauber unbefangener Kinder und ihrer Spiele mit einer Zartheit dargestellt hast, wie kaum ein anderer Dichter, und dir zugleich nicht genug tun kannst mit der Schilderung von Mädchen und Frauen, die in ihrer frigiden Perversität, Grausamkeit, Verrücktheit und Hysterie ihresgleichen nicht haben; daß du in hymnischen Melodien den Rausch, die Gewalt und die Herrlichkeit des Lebens preisest und zugleich den Untergang und Verfall offenbarst, der überall sein Wesen hat; daß du dich von einer überirdischen Macht gehalten weißt, in deren Händen die Erde, das Meer und alle Sternenweiten ruhen, und zugleich von der Überzeugung durchdrungen bist, der einsame Weg des Menschen führe unabdingbar auf den ungeheuren Abgrund zu, der das Nichts genannt wird — wie kannst du diese und noch viele andere unvereinbare Gegensätze in deiner Brust nur aushalten? Wie stellst du es an, daß du von den gnadenlos

gegeneinander wütenden Kräften nicht zerrissen wirst? Was geht jetzt in dir vor, wie du so verlassen vor dich hinsiehst? Hältst du Zwiesprache mit deinen Geschöpfen, die ja alle Stücke von dir sind, zerstritten untereinander und zerstritten in sich selbst? Wer bist du? Hast du dich schon einmal analysiert? Weißt du eine Antwort? Kann einer wie du überhaupt eine Antwort wissen?«
Vielleicht hätte Hamsun, wenn meine Fragen an sein Ohr gedrungen wären, folgendermaßen geantwortet: »Ich habe mich nur durch eine Art analysiert, indem ich in meinen Büchern mehrere Hundert verschiedener Gestalten geschaffen habe. Jede einzelne ist aus mir selber heraus entwickelt, mit Fehlern und Vorzügen, wie sie erdichteten Figuren eigen sind. Die sogenannte naturalistische Periode in der Literatur schrieb von Menschen mit Haupteigenschaften. Sie hatte keine Verwendung für eine fein abgestufte Psychologie; die Menschen besaßen eine ›vorherrschende Eigenschaft‹, die ihre Handlungen lenkte. Dostojewski und mehrere andere lehrten uns alle etwas anderes vom Menschen. Ich glaube, es findet sich in meiner ganzen Produktion nicht eine Person mit einer solchen ganzen, geradlinigen, herrschenden Eigenschaft. Sie sind alle ohne sogenannten Charakter, sie sind alle gespalten und zusammengesetzt, nicht gut und nicht böse, son-

dern beides, in ihrem Wesen nuanciert und in ihren Handlungen wechselnd. Und so bin ich zweifellos auch selber. Es ist durchaus möglich, daß ich aggressiv bin, verletzbar, mißtrauisch, egoistisch, freigebig, eifersüchtig, gerechtigkeitsliebend, logisch, gefühlvoll, kalt — alle diese Eigenschaften wären ja menschlich. Aber ich weiß nicht, ob ich einer von ihnen bei mir selbst ein Übergewicht einräumen kann. Zu dem, was mich ausmacht, gehört auch noch die Gnadengabe, die mich instand gesetzt hat, meine Bücher zu schreiben. Aber sie kann ich nicht analysieren . . .«

Die Gnadengabe bestand aus einer doppelten Gnade: aus der Gnade des Dichtertums und aus der Gnade des Gerettetwerdens. Ein Mensch, in dem es tumultuarisch und skandalös zuging wie in ihm, mußte, wenn er nicht untergehen wollte, etwas schaffen. Daß er schaffen durfte, war die eine Gnade. Daß er Dichtungen zu schaffen vermochte, war die Gnade in der Gnade.

Mein Zug, der in den Bahnhof geschoben wurde, trennte mich von ihm. Ich stieg ein und stellte mich sogleich an das gegenüberliegende Fenster, um ihn weiter betrachten zu können. Er stand noch immer merkwürdig fremd und von aller Welt geschieden dort drüben. Sein Schicksal war schon bei ihm: das Gefängnis, die Irrenanstalt, das Armenhaus, die Verdammung nicht nur

durch das Gericht, sondern auch durch sein Volk; die Armut, die Taubheit, die Blindheit, die Stummheit, die Hilflosigkeit.
Da fuhr der Zug an. Ich konnte nicht anders, ich hob langsam die Hand zu einem kleinen Gruß. Er gab nicht zu verstehen, ob er es wahrgenommen hatte.

Ein unbekannter Schauspieler

Als mein Freund, der Komponist Ludwig Roselius, und ich in Münster eine Morgenfeier zu bestreiten hatten, stellten wir fest, daß am Abend dieses Tages meine dramatische Ballade »Lilofee«, deren Bühnenmusik von Ludwig Roselius stammte, in den Kammerspielen aufgeführt wurde. Es mag im Jahr 1938 gewesen sein. Wir beschlossen, uns die Vorstellung anzusehen. Daraus wurde ein in mehrfacher Hinsicht interessanter Abend. Das Haus, in dem die Kammerspiele ihre Stätte hatten, war früher der Sitz eines adligen Fräulein-Stiftes gewesen und nahm sich dementsprechend aus. Ein Kronleuchter aus venezianischem Kristall verlieh dem Saal oder besser dem Sälchen eine schwebende Heiterkeit. Die Bühne hatte insofern ihre Eigenart, als auf ihr, halbrechts, eine eiserne Säule stand, die ein vorsichtiges Bauamt aus statischen Gründen dort nachträglich gefordert hatte. Sie stand unverrückbar da und mußte in jedes Bühnenbild eingearbeitet werden, als Baumstamm, als Schiffsmast, als Tempelsäule, als Pfosten eines Himmelbettes oder als sonst etwas. An der anderen Schmalseite des Sälchens befand sich eine sogenannte Laube, in der an diesem Abend ein winziges Orchester musizierte. Es stellte sich heraus, daß Spielleiter, Bühnenbildner und Beleuchter aus der Not, wie es sich für Fachleute gehört, eine Tugend gemacht

und einen beglückenden Rahmen für das Spiel geschaffen hatten. Das vierte Bild zum Beispiel, das eigentlich auf dem Vordeck der Viermastbark »Christine« vor sich gehen sollte, war wegen der Kleinheit der Bühne in das Mannschaftsquartier mit den Kojen verlegt worden, in dem die Säule die Rolle des Mastfußes übernahm. In dieser Zusammendrängung wurden auch die seemännischen Späße so dicht, daß Ludwig Roselius vor Lachen fast von seinem Sessel rutschte. Da die andern, die ernsten Bilder durch die räumliche Beschränkung ebenfalls an Dichte und damit an Tiefe gewannen, kam eine Aufführung zustande, die sich sehen lassen konnte.
Hinterher luden die Schauspieler uns ein, noch ein paar Stunden mit ihnen in einer Kneipe zu verbringen, in der sie sich zu entspannen pflegten. Sie führte einen düsteren Namen: »Zum geschlachteten Hund« oder so ähnlich. Im Verlauf des Abends setzte sich eine Schauspielerin und ein Schauspieler nach dem andern neben mich, um, wie sie vorgaben, meine Kritik zu hören. In Wirklichkeit lechzten sie nach nichts anderem als nach der Versicherung, daß ich noch nie eine so überragende Leistung wie die ihre gesehen hätte. Schauspieler brauchen das einfach. Ihre Kunst ist ja, während sie geschieht, hundert Zufällen preisgegeben, ist äußerst verletzlich, ist der flüchtigen

Zeit verhaftet, ist mit dem letzten Wort dahin und verweht gleich einem Traum. Nur der Beifall verhilft ihr noch eine Weile zu so etwas wie Dauer, darum schlürfen sie ihn wie Champagner. Er ist ihr Lebenselixier. Kritik soll auch sein, natürlich, aber nur ein bißchen. Tausendmal wichtiger ist die Zustimmung, der Beifall, die Bewunderung. Sonst sind sie verloren. Ich sagte ihnen also, was ich anzumerken hatte, und hoffte, daß es so richtig war.

Ganz zuletzt nahm ein junger Mann neben mir Platz, der mir sogleich versicherte, er sei überglücklich, daß die Auffassung, die er von seiner Rolle habe, endlich einmal von berufener Seite beurteilt werden könne. Zwischen ihm und dem Spielleiter sei es nämlich zu einer Auseinandersetzung darüber gekommen. Nun solle ich als der Autor entscheiden, wer recht habe. Ich ging in Gedanken schnell die Personen des Stückes durch, um herauszufinden, von welcher Rolle die Rede war. Soweit ich wußte, hatte ich mich doch schon mit allen Darstellern unterhalten. Fragen mochte ich ihn nicht, weil ihn das sicher gekränkt hätte. Durch vorsichtiges Tasten fand ich schließlich heraus, daß er im zweiten Bild, dessen Schauplatz die nächtliche Hafenstraße von Brake ist, die folgende Rolle gespielt hatte: Ein Herr (geht vorüber). – Das war alles. Im ersten Augenblick

fühlte ich mich versucht, in mich hineinzulächeln, aber dann fiel mir ein, daß er aus dieser Beiläufigkeit eine kleine Pantomime gemacht hatte. Er war bis zur Mitte der Straße geschlendert, hatte dort innegehalten und sich etwas überlegt, war dann zögernd zurückgegangen und unter einer Laterne stehen geblieben, wo er seine Uhr gezogen und noch einmal nachgedacht hatte, um dann, nachdem er die Straße mit entschlossenen Schritten überquert hatte, in der Nacht zu verschwinden.
Aus meinem innerlichen Lächeln wurde, je länger wir über die winzige Szene sprachen, eine aufrichtige Bewunderung. Ich merkte, daß ich hier eine Lehre erhielt, die ich so bald nicht vergessen würde. Ich habe sie auch bis heute nicht vergessen. Es mochte dahingestellt bleiben, ob sich das Spielchen in die Gesamtanlage des zweiten Bildes einfügte oder nicht, der junge Schauspieler hatte die Rolle jedenfalls trotz oder vielleicht auch gerade wegen ihrer Unbedeutendheit ernst genommen, er hatte sich eine Aufgabe daraus gemacht und sie auf seine Weise zu lösen versucht. Ein anderer hätte die Rolle vielleicht als eine Zumutung empfunden und gedacht, er sei sich eigentlich zu schade für so eine Bagatelle, aber wenn es denn sein müsse, dann gehe er eben vorüber. Nicht so mein Gesprächspartner. Er

spürte offenbar, daß es in der Kunst wie im Leben darauf ankommt, auch an die beiläufigste Aufgabe, die einem gestellt wird, mit seinem ganzen Können heranzugehen, nichts mit der linken Hand zu erledigen, außer man ist Linkshänder, nichts, was zum Ganzen gehört, für gering zu halten. Wie sich denn die Größe und die Wahrheit eines Künstlertums darin erweisen, daß sie das Kleine wohl in seiner Rolle als Kleines belassen, es aber nicht als etwas Nebensächliches behandeln. An einem großen Kunstwerk trägt auch das Kleine zur Größe bei, hat auch das Kleine an der Größe teil.

Ich weiß nicht, was aus dem jungen Schauspieler geworden ist. Nicht einmal sein Name ist mir noch gegenwärtig. Seine Rolle war so gering, daß sie im Programmheft unerwähnt blieb. Aber das weiß ich, daß er eine Chance hatte, ein Bedeutender zu werden. Ob er sie genutzt hat, steht dahin.

Manfred Hausmann
im Neukirchener Verlag

Einer muß wachen

Essays. 331 Seiten, Leinen 22,– DM

Kreise um eine Mitte

Essays. 3., erweiterte Auflage. 256 Seiten,
Leinen 20,– DM

Im Spiegel der Erinnerung

Erlebnisse und Begegnungen. 128 Seiten,
kart. 9,80 DM

Gottes Ja

Predigten. 3. Auflage. 108 Seiten, kart. 9,– DM

Wort vom Wort

Predigten. 5. Auflage. 104 Seiten, kart. 9,– DM

Das abgründige Geheimnis

Predigten. 192 Seiten, kart. 14,– DM